5 fruits et légumes par jour

5 fruits et légumes par jour

Louise Pickford

marabout

Publié pour la première fois en Grande-Bretagne
en 2008 sous le titre *Vegetarian*.

© 2008 Octopus Publishing Group Ltd.
© 2008 Hachette Livre (Marabout) pour la traduction
et l'adaptation françaises.

Crédits photos © Octopus Publishing Group Ltd/
Ian Wallace.
pages 55, 65, 79, 93, 147, 153, 195, 197, 205,
209, 215, 223, 227, 231, 233 © William Lingwood ;
page 37 © Lis Parsons ;
pages 43, 175 © William Shaw.

Traduit de l'anglais par Catherine Vandevyvere.
Mise en pages : les PAOistes.

Pour l'éditeur, le principe est d'utiliser des papiers
composés de fibres naturelles, renouvelables, recycla-
bles et fabriquées à partir de bois issus de forêts qui
adoptent un système d'aménagement durable.
En outre, l'éditeur attend de ses fournisseurs de papier
qu'ils s'inscrivent dans une démarche de certification
environnementale reconnue.

ISBN : 978-2-501-05774-5
Dépôt légal : juin 2008
40.4609.0 / 01
Imprimé en Espagne par Quebecor-Cayfosa

sommaire

introduction

Aujourd'hui, face à l'incroyable diversité des produits proposés dans le commerce, manger 5 fruits et légumes par jour est un jeu d'enfant. Si vous recherchez des idées de recettes sans viande, vous trouverez dans cet ouvrage une multitude d'idées exquises et originales. Chaque recette est accompagnée d'une photo qui vous permettra de visualiser le résultat final, et propose une variante inédite, ce qui porte à 200, le nombre de recettes contenues dans ce livre.

prêt en 30 minutes

Parce que dans notre monde moderne le temps est très précieux, vous apprécierez très certainement de pouvoir poser sur la table, un délicieux repas, préparé en un temps record ! Nous avons écrit ce livre en pensant au facteur temps : les recettes proposées, simples et variées, sont toutes très rapides à réaliser – 30 minutes en moyenne.

Pour être efficace en cuisine, tout d'abord organisez-vous en faisant vos courses. Achetez en une fois, les ingrédients de base et les denrées non périssables, de sorte qu'au quotidien, vous n'ayez plus qu'à vous soucier des produits frais. Le secret de la réussite ? Un placard à provisions bien rempli… Veillez à toujours avoir sous la main, les indispensables comme huile d'olive vierge extra, vinaigre balsamique, sel de mer, tomates concassées et haricots en conserve, lentilles, pâtes, riz et farine.

choisir des produits de qualité

Il est essentiel de ne pas essayer de « compenser » l'absence de viande en absorbant de grandes quantités de fromage, aliment riche en graisses saturées, très mauvaises pour le cœur. Un régime équilibré doit fournir à notre organisme, la quantité optimale de protéines, de glucides, de lipides, de vitamines et de minéraux. Manger sainement, c'est manger beaucoup de fruits et de légumes (l'apport journalier recommandé

vous mangez, consiste à préparer vous-même vos repas. Alors, à vos fourneaux ! Et préparez-vous à savourer quelques mets aux fruits et légumes vraiment fabuleux...

conserver des produits frais

Une fois que vous avez acheté des produits frais de qualité, utilisez-les sans tarder ou stockez-les de façon qu'ils gardent une fraîcheur optimale.

La plupart des fruits et des légumes se conservent au réfrigérateur. Toutefois, ceux qu'on ne peut réfrigérer, notamment les pommes de terre, les oignons, l'ail, les pommes et autres aliments riches en amidon, doivent être stockés dans un endroit frais, de préférence dans des sacs en papier.

À moins de les avoir achetées en pots, les fines herbes se conservent bien au réfrigérateur, une fois humectées puis enfermées dans un grand sachet de congélation avec fermeture « zippée ».

une recette
pour chaque occasion

Ce livre est divisé en 7 chapitres afin de vous aider à trouver facilement une recette. Que vous cherchiez à confectionner un en-cas, un plat complet, une salade ou un dessert, vous trouverez sans

étant de cinq portions par jour), de légumes secs, de céréales et de soja, ainsi que des quantités mesurées d'œufs, de lait et de fromage.

Choisissez des produits frais de qualité. Achetez toujours des fruits, des légumes et des fines herbes de première fraîcheur, lesquels auront conservé leur intérêt nutritif. La gamme de produits biologiques proposée aux consommateurs est de plus en plus vaste. Sélectionnez-en quelques-uns en fonction de votre budget et selon votre inspiration.

Souvenez-vous enfin que le meilleur moyen de savoir exactement ce que doute votre bonheur dans les chapitres appropriés. Des amis arrivent à l'improviste ? Pas de panique : grâce à cet ouvrage, vous pourrez préparer un délicieux repas en un tournemain. Et avec la variante proposée à la fin de chaque recette, le choix est encore plus vaste.

Si vous faites partie de ceux qui pensent qu'un petit-déjeuner uniquement composé de fruits est insuffisant, essayez l'omelette à la roquette et au fromage de chèvre (p. 18) ou encore, le brunch « tout-en-un » (p. 22). Vous ne le regretterez pas !

La plupart des recettes du deuxième chapitre, particulièrement savoureuses, peuvent être servies aussi bien en entrée qu'en en-cas. Plusieurs d'entre elles peuvent être préparées en moins de 20 minutes, notamment le halloumi et sa sauce à la grenade (p. 42) ou l'hoummous aux haricots blancs, citron et romarin (p. 68).

Dans le chapitre des plats principaux, vous allez tout particulièrement aimer le fait que les recettes proposées sont très éloignées des recettes classiques à base de légumes, au point que même les mangeurs de viande les plus convaincus les réclameront. Comment résister à un risotto crémeux aux petits pois et à la menthe (p. 80), à des cannellonis aux épinards et à la ricotta (p. 100), ou encore, à des spaghettis aux fèves et au citron (p. 82) ?

Dans le chapitre des soupes et des ragoûts, vous trouverez toutes sortes de recettes, simples et rapides, pour les repas en famille, mais aussi des recettes plus délicates qui vous donneront des idées d'entrées pour vos dîners entre amis. C'est le cas notamment du savoureux velouté aux champignons et beurre à la truffe (p. 112). Certaines recettes sont plus consistantes, idéales pour un

Existe-t-il une odeur plus agréable que celle du pain sortant du four ? Dans le chapitre sur le pain et les pizzas, vous trouverez non seulement plusieurs recettes de pains savoureux, mais vous découvrirez aussi des idées de tartes salées, de pizzas et de gratins. Essayez la pizza à la courge et à la sauge (p. 192) : la surprise sera totale !

Enfin, il y a le chapitre des desserts, parce que nous avons tous besoin, de temps à autre, de craquer pour un petit plaisir sucré… Pourquoi ne pas essayer la divine mousse au chocolat onctueuse (p. 200), si simple à réaliser ? Et pourquoi ne pas impressionner vos amis avec un cheese-cake façon tiramisù (p. 212) ?

repas d'hiver. C'est le cas, entre autres, de la copieuse goulache et ses boulettes à la ciboulette (p. 130).

Parmi les salades et plats de légumes du chapitre suivant, vous trouverez de grands classiques indémodables, mais aussi des recettes traditionnelles légère-ment modernisées comme les légumes rôtis, au pesto au persil (p. 160), ou les patates douces cuites au four (p. 166). Certains repas proposés dans ce chapitre peuvent accompagner à merveille un plat principal, tandis que d'autres peu-vent constituer à eux seuls un délicieux repas léger.

les ingrédients

Voici quelques informations pratiques sur certains des ingrédients utilisés dans cet ouvrage.

œufs

Choisissez toujours des œufs de poules élevées en plein air, si possible biologiques. Sortez vos œufs du réfrigérateur et laissez-les reposer 1 heure à température ambiante avant de les utiliser.

babeurre

Liquide blanc qui reste après le barattage de la crème, sous-produit de la fabrication du beurre. Le babeurre, aussi appelé « lait battu », « lait ribot » ou « lait fermenté », est moins riche en matières grasses que le lait et a un goût légèrement acide. Dans les recettes, il remplace le lait et le yaourt. On le trouve au rayon frais des supermarchés et dans les boutiques bio.

halloumi

Fromage de brebis à pâte demi-ferme, légèrement salé. Ce fromage originaire de Chypre est toujours consommé grillé ou frit. Dégustez-le chaud car il devient caoutchouteux en refroidissant.

fontina

Fromage doux, au lait de vache, originaire d'Italie. C'est un fromage qui fond particulièrement bien, et que l'on peut remplacer par de la mozzarella.

tallegio

Fromage à pâte molle, au lait de vache, originaire d'Italie. Dans les recettes, on peut le remplacer par du brie, dont il n'est pas très éloigné. On le trouve chez les fromagers, dans les épiceries italiennes et dans certaines grandes surfaces.

riz arborio

Riz italien à grains ronds dont la forte teneur en amidon confère aux mets une texture crémeuse parfois très recherchée, notamment pour confectionner le traditionnel risotto.

polenta

Plat à base de farine de maïs, né en Italie du Nord. On peut déguster la polenta tout de suite après l'avoir cuite à l'eau, ou la laisser refroidir puis la découper en morceaux et la faire griller. Dans les recettes de cet ouvrage, nous utilisons de la polenta précuite, à cuisson rapide.

nouilles ramen

Nouilles déshydratées japonaises, vendues dans toutes les épiceries asiatiques. On peut remplacer les nouilles ramen par d'autres nouilles à potage japonaises.

bouillon de légumes

Choisissez toujours du bouillon de légumes de qualité. Généralement, les bouillons en poudre sont meilleurs que ceux en cubes, mais le mieux est de se faire sa propre opinion en goûtant et en comparant différentes marques.

vincotto

Condiment italien, à base de vin cuit, vieilli en fûts de chênes. On peut le remplacer par du vinaigre balsamique. On le trouve dans les épiceries italiennes, dans certaines boutiques spécialisées, et sur Internet.

marsala

Vin doux sicilien, d'une couleur profonde et à la saveur merveilleusement épicée. On l'utilise en pâtisserie, mais on peut aussi le déguster à l'apéritif.

tahini

Pâte produite à partir de graines de sésame, largement utilisée dans la cuisine d'Afrique du Nord. On trouve du tahini dans les boutiques bio.

mirin

Alcool de riz doux, utilisé dans la cuisine japonaise. On le trouve dans certaines grandes surfaces, dans les épiceries asiatiques et dans les boutiques bio.

algue wakame

Algue séchée, utilisée dans la cuisine japonaise, notamment pour relever le parfum de certains bouillons et soupes. On la trouve dans les boutiques bio.

boudoirs

Biscuits oblongs, recouverts de sucre, traditionnellement utilisés pour confectionner le tiramisù.

fines herbes

Utilisez, dans la mesure du possible, des herbes fraîches. Si vous utilisez des herbes séchées, divisez par deux les quantités données dans cet ouvrage. Pensez aux herbes en pots, faciles à conserver sur un rebord de fenêtre…

feuilles de citronnier kaffir

Feuilles très aromatiques d'une variété de citronnier, largement utilisées dans la cuisine thaïlandaise. On les trouve fraîches chez certains marchands de fruits et légumes, dans les épiceries asiatiques et dans certains supermarchés. Les feuilles fraîches peuvent se congeler.

petits déjeuners
et brunchs

pain perdu au parmesan

Pour **6 personnes**
Préparation **10 minutes**
Cuisson **8 à 14 minutes**

6 **tomates** allongées
  (type roma)
4 c. à s. de **tapenade**
huile d'olive vierge extra
150 ml de **lait**
3 **œufs**
3 c. à s. de **parmesan**
  fraîchement râpé
50 g de **beurre**
6 tranches de **pain** blanc
1 poignée de pousses
  d'**épinards**
quelques feuilles de **basilic**
sel et **poivre noir**

Coupez les tomates en deux et retirez les graines à l'aide d'une cuillère. Disposez-les dans un plat à gratin, côté coupé vers le haut. Déposez une petite quantité de tapenade sur chaque tomate et arrosez avec un filet d'huile d'olive. Faites dorer 2 à 3 minutes sous le gril d'un four préchauffé. Réservez au chaud.

Dans un saladier, fouettez le lait avec les œufs, le parmesan, un peu de sel et de poivre. Versez ce mélange dans une assiette creuse. Faites fondre 25 g de beurre dans une grande poêle à frire. Trempez 3 tranches de pain dans l'assiette puis faites-les rissoler 3 à 4 minutes à feu moyen en les retournant à mi-cuisson, jusqu'à ce qu'elles soient dorées sur les deux faces. Retirez les tranches de la poêle et maintenez-les au chaud dans un four modéré. Répétez l'opération avec les autres tranches.

Servez ce pain perdu avec les tomates grillées, des pousses d'épinards et quelques feuilles de basilic.

Pour une version sucrée, trempez 4 tranches de pain brioché dans un mélange composé de 2 œufs battus, de 25 g de sucre en poudre et de ½ cuillerée à café de cannelle en poudre. Faites fondre 25 g de beurre dans une poêle et faites-y dorer les tranches de pain deux par deux, 2 à 3 minutes de chaque côté. Saupoudrez de sucre glace et décorez avec quelques fruits rouges et une cuillerée de crème fouettée.

omelette au chèvre et à la roquette

Pour **4 personnes**
Préparation **5 minutes**
Cuisson **12 minutes**

12 **œufs**
4 c. à s. de **lait**
4 c. à s. de **fines
herbes** mélangées
(cerfeuil, ciboulette,
origan, persil, estragon…)
50 g de **beurre**
125 g de **fromage
de chèvre** crémeux
coupé en dés
1 petite poignée de jeunes
feuilles de **roquette**
sel et **poivre noir**

Fouettez les œufs dans un grand saladier, avec le lait, les fines herbes, du sel et du poivre. Faites fondre 15 g de beurre dans une poêle. Dès que le beurre cesse de mousser, versez un quart de la préparation aux œufs dans la poêle et faites cuire l'omelette à feu moyen, en remuant à l'aide d'une fourchette pour qu'elle cuise uniformément.

Dès que le dessous de l'omelette est pris mais que le dessus est encore un peu baveux, garnissez la moitié de l'omelette avec un quart du fromage et un quart des feuilles de roquette. Faites délicatement glisser l'omelette sur une assiette chaude en la pliant en deux. Répétez l'opération trois fois et servez au fur et à mesure. Vous pouvez aussi réserver les omelettes au chaud, dans un four à chaleur modérée, et les servir toutes en même temps.

Pour une omelette à la tomate, suivez la recette jusqu'à la fin de la première étape, puis parsemez la moitié de l'omelette avec 15 g de cheddar râpé et 25 g de tomates cerises coupées en deux. Glissez l'omelette sur une assiette chaude en la pliant en deux. Répétez l'opération trois fois.

œufs à la coque
et mouillettes à la moutarde

Pour **4 personnes**
Préparation **5 minutes**
Cuisson **5 minutes**

2 c. à c. de **moutarde
à l'ancienne** (ou plus,
selon votre goût)
50 g de **beurre doux**
en pommade
4 gros **œufs**
4 tranches épaisses
de **pain** blanc
poivre noir

Fouettez la moutarde, le beurre et le poivre dans un bol.

Faites cuire les œufs 2 à 3 minutes dans une casserole d'eau bouillante : le jaune doit rester liquide. Pendant ce temps, faites griller le pain. Tartinez les tranches avec la préparation à la moutarde et coupez-les en languettes.

Servez les œufs avec les mouillettes à la moutarde.

Pour une version aux asperges, remplacez les mouillettes par des pointes d'asperges. Nettoyez 2 bottes d'asperges que vous ferez cuire 2 minutes à la vapeur ou dans de l'eau bouillante. Proposez-les avec les œufs à la coque, à la place du pain.

brunch « tout-en-un »

Pour **4 personnes**
Préparation **10 minutes**
Cuisson **35 minutes**

500 g de **pommes de terre**
  cuites coupées en dés
4 c. à s. d'**huile d'olive**
quelques brins de **thym**
250 g de **champignons
  de Paris** nettoyés
12 **tomates cerises**
4 **œufs**
2 c. à s. de **persil** ciselé
  pour décorer
quelques **toasts** beurrés
  (facultatif)
sel et **poivre noir**

Disposez les dés de pommes de terre dans un plat à gratin. Arrosez-les avec la moitié de l'huile d'olive, parsemez de brins de thym, salez et poivrez. Faites cuire 10 minutes dans un four préchauffé à 220 °C.

Remuez soigneusement, ajoutez les champignons et poursuivez la cuisson 10 minutes. Ajoutez les tomates et faites cuire 10 minutes de plus.

Creusez 4 puits dans les légumes et cassez 1 œuf dans chaque puits. Faites cuire 3 à 4 minutes jusqu'à ce que le blanc soit pris. Parsemez de persil ciselé et servez aussitôt, avec des toasts beurrés si vous le souhaitez.

Pour une version du soir, parsemez les légumes de cheddar (125 g) 10 minutes avant la fin de la cuisson.

muffins fromage tomate basilic

Pour **8 muffins**
Préparation **10 minutes**
Cuisson **20 à 25 minutes**

huile en spray
150 g de **farine à levure incorporée**
½ c. à c. de **sel**
100 g de **fécule de maïs**
65 g de **cheddar** râpé
50 g de **tomates séchées** conservées dans l'huile, égouttées et hachées
2 c. à s. de **basilic** ciselé
1 **œuf** battu légèrement
300 ml de **lait**
2 c. à s. d'**huile d'olive** vierge extra
beurre pour servir

Huilez légèrement un moule à muffins (8 alvéoles). Tamisez la farine et le sel au-dessus d'un saladier. Ajoutez la fécule de maïs, 50 g de cheddar, les tomates séchées et le basilic. Faites un puits au centre.

À part, fouettez l'œuf, le lait et l'huile d'olive. Versez cette préparation dans le puits et mélangez sans lisser la pâte : elle doit rester grumeleuse.

Répartissez la pâte dans les alvéoles, parsemez de cheddar râpé et faites cuire 20 à 25 minutes dans un four préchauffé à 180 °C, jusqu'à ce que les muffins aient gonflé et qu'ils soient bien dorés. Laissez reposer 5 minutes avant de démouler. Servez chaud, avec du beurre.

Pour les muffins aux olives et aux pignons,
remplacez les tomates séchées par 100 g d'olives noires dénoyautées et hachées et 50 g de pignons.

œufs brouillés au pesto

Pour **4 personnes**
Préparation **5 minutes**
Cuisson **5 minutes**

12 **œufs**
100 ml de **crème fraîche**
liquide
25 g de **beurre**
4 tranches de **pain**
aux céréales grillées
4 c. à s. de **pesto**
(voir page 86)
sel et **poivre noir**

Fouettez ensemble les œufs, la crème fraîche, un peu de sel et de poivre. Faites fondre le beurre dans une grande poêle antiadhésive. Versez les œufs dans la poêle et faites chauffer à feu doux en remuant avec une cuillère en bois, jusqu'à ce qu'ils soient cuits selon votre goût.

Déposez une tranche de pain grillé sur chaque assiette et répartissez les œufs brouillés sur le pain. Faites un petit puits au centre des œufs et déposez 1 cuillerée à soupe de pesto dans le creux. Servez aussitôt.

Pour une variante au fromage, supprimez le pesto et ajoutez 125 g de fromage de chèvre crémeux coupé en dés et 2 cuillerées à soupe de persil ciselé dans les œufs, juste avant de servir.

röstis et œufs au plat

Pour **4 personnes**
Préparation **15 minutes**
Cuisson **15 minutes**

750 g de **pommes de terre**
  pelées (type Désirée)
1 **oignon** émincé
2 c. à c. de **romarin** ciselé
4 c. à s. d'**huile d'olive**
4 gros **œufs**
sel et **poivre noir**
persil ciselé pour décorer

Râpez les pommes de terre grossièrement. Enveloppez-les dans un torchon propre et pressez-les au-dessus de l'évier pour extraire un maximum de liquide. Versez les copeaux de pommes de terre dans un saladier et ajoutez-leur l'oignon, le romarin, du sel et du poivre.

Faites chauffer 2 cuillerées à soupe d'huile d'olive dans une grande poêle à frire. Divisez les copeaux de pommes de terre en 4 parts égales. Déposez les quatre tas dans la poêle en les aplatissant légèrement (12 cm de diamètre). Faites cuire à feu moyen, 5 minutes de chaque côté. Déposez les galettes sur 4 assiettes chaudes et réservez au chaud, dans un four à chaleur modérée.

Faites chauffer l'huile restante dans la poêle pendant 1 minute. Lorsque l'huile est bien chaude, faites cuire les œufs deux par deux, jusqu'à ce que le blanc soit croustillant. Déposez les œufs sur les galettes de pommes de terre, parsemez de persil ciselé et servez aussitôt.

Pour une version un peu plus légère, remplacez les œufs au plat par des œufs pochés. Faites chauffer une casserole d'eau légèrement salée. Aux premiers frémissements, ajoutez 1 cuillerée à soupe de vinaigre blanc. Cassez un œuf dans une tasse. Remuez l'eau à l'aide d'une grande cuillère puis versez délicatement l'œuf au centre. Laissez cuire 2 à 3 minutes puis retirez l'œuf avec une écumoire, sans l'abîmer. Répétez l'opération avec les autres œufs.

toasts aux champignons

Pour **4 personnes**
Préparation **10 minutes**
Cuisson **5 minutes**

25 g de **beurre**
3 c. à s. d'**huile d'olive**
  vierge extra + 1 filet
  au moment de servir
750 g de **champignons**
  mélangés (pleurotes,
  shiitake, champignons
  de Paris), nettoyés
  et coupés en tranches
2 gousses d'**ail** pilées
1 c. à s. de **thym** ciselé
le **jus** et le **zeste** râpé
  de 1 **citron**
2 c. à s. de **persil** ciselé
4 tranches de **pain**
  au levain
100 g de **mesclun**
copeaux de **parmesan** frais
sel et **poivre noir**

Faites fondre le beurre et l'huile dans une grande poêle à frire. Dès que le beurre a cessé de mousser, ajoutez les champignons, l'ail, le thym, le zeste de citron, du sel et du poivre, et faites chauffer 4 à 5 minutes à feu moyen, en remuant, jusqu'à ce que les champignons soient cuits. Ajoutez un filet de jus de citron et parsemez de persil ciselé.

Pendant ce temps, faites griller les tranches de pain puis disposez-les sur les assiettes.

Répartissez les feuilles de salade et les champignons sur le pain. Arrosez avec un filet d'huile d'olive et un peu de jus de citron. Parsemez de copeaux de parmesan et servez aussitôt.

Pour une version au camembert, nettoyez 8 agarics champêtres (aussi appelés « rosés-des-prés »), badigeonnez-les avec 2 cuillerées à soupe d'huile d'olive puis faites-les cuire 4 à 5 minutes de chaque côté, sous le gril d'un four préchauffé. Grillez légèrement 4 tranches de pain au levain. Déposez 2 champignons sur chaque toast, puis 2 tranches de camembert. Poursuivez la cuisson 2 à 3 minutes jusqu'à ce que le fromage soit fondu.

pancakes à la sauce aux myrtilles

Pour **4 à 6 personnes**
Préparation **10 minutes**
Cuisson **20 minutes**

15 g de **beurre**
150 g de **farine à levure incorporée**
1 c. à c. de **bicarbonate de soude**
40 g de **sucre** en poudre
1 **œuf** battu
350 ml de **babeurre**
sucre glace
yaourt grec ou crème fraîche

Sauce aux myrtilles
250 g de **myrtilles**
2 c. à s. de **miel** liquide
1 trait de **jus de citron**

Faites chauffer les myrtilles, le miel et le jus de citron à feu doux pendant 3 minutes. Quand les fruits ont libéré tout leur jus, retirez la casserole du feu et réservez au chaud.

Faites fondre le beurre à part. Tamisez la farine et le bicarbonate de soude au-dessus d'un saladier. Ajoutez le sucre. Dans un autre saladier, fouettez l'œuf et le babeurre. Versez progressivement le beurre fondu puis l'œuf et le babeurre dans le saladier contenant la farine. Fouettez jusqu'à obtention d'une pâte lisse.

Faites chauffer une poêle antiadhésive puis déposez-y de grosses cuillerées de pâte et faites cuire à feu vif jusqu'à ce que des bulles apparaissent à la surface. Retournez les pancakes et poursuivez la cuisson 1 minute. Réservez-les au chaud, dans un four à chaleur modérée. Répétez l'opération avec le restant de pâte.

Superposez les pancakes et arrosez-les de sauce aux myrtilles. Déposez 1 cuillerée de yaourt (ou de crème fraîche) au sommet et saupoudrez de sucre glace.

Pour une sauce épicée aux pommes, remplacez les myrtilles par des pommes juteuses pelées et coupées en morceaux, et utilisez du sirop d'érable à la place du miel. Parfumez cette sauce avec de la cannelle en poudre.

ricotta aux fruits rouges et au miel

Pour **4 personnes**
Préparation **10 minutes**

125 g de **framboises**
2 c. à c. d'**eau de rose**
250 g de **ricotta**
250 g de **fruits rouges**
   mélangés
2 c. à s. de **miel** liquide
   avec morceaux de rayons
2 c. à s. de **graines
   de potiron** grillées
1 pincée de **cannelle**
   en poudre

Passez les framboises dans un tamis en nylon pour les réduire en purée et ôter les petits grains. Mélangez-les ensuite avec l'eau de rose. Vous pouvez aussi mettre les framboises et l'eau de rose dans un robot, mixer, puis passer la purée obtenue au tamis pour éliminer les petits grains.

Coupez la ricotta en quartiers que vous disposerez sur les assiettes, avec les fruits rouges. Versez le miel en filet, puis la purée de framboises. Décorez avec quelques rayons de miel, les graines de potiron et la cannelle.

Pour une purée d'abricots, remplacez les framboises par des abricots bien mûrs coupés en morceaux, et l'eau de rose par de l'eau de fleur d'oranger.

croissants aux agrumes

Pour **2 ou 4 personnes**
Préparation **15 minutes**
Cuisson **5 minutes**

2 **oranges**
50 ml de **crème aigre**
2 petits **pamplemousses**
  rouges ou roses
1 c. à c. de **cannelle**
  en poudre + 1 pincée
1 c. à s. de **sucre** en poudre
4 **croissants**

Râpez le zeste de 1 orange et mélangez-le à la crème aigre.

À l'aide d'un couteau, ôtez la fine membrane de l'orange dont vous venez de râper le zeste, puis pelez à vif l'autre orange et les pamplemousses. Retirez les segments de fruits en passant la lame d'un couteau le long des membranes. Faites ceci au-dessus d'un saladier afin de recueillir le jus. Mélangez les segments d'agrumes, leur jus, la cannelle et le sucre dans une petite casserole. Faites chauffer 1 à 2 minutes à feu doux.

Pendant ce temps, disposez les croissants sur une plaque de cuisson et faites-les chauffer 5 minutes dans un four préchauffé à 200 °C, jusqu'à ce qu'ils soient bien chauds et légèrement grillés.

Coupez les croissants en deux dans l'épaisseur. Répartissez les agrumes sur la moitié inférieure des croissants, déposez 1 cuillerée de crème aigre sur les fruits et saupoudrez de cannelle. Refermez avec l'autre moitié des croissants et servez aussitôt.

Pour une version plus légère, remplacez la crème aigre par du yaourt nature allégé ou maigre.

muffins au chocolat

Pour **6 personnes**
Préparation **10 minutes**
Cuisson **15 minutes**

50 g de **chocolat noir**
   en morceaux
50 g de **beurre doux**
2 **œufs**
75 g de **sucre** en poudre
75 g de **farine à levure**
   incorporée
25 g de **cacao** en poudre
25 g de **chocolat blanc**
   en copeaux

Garnissez de caissettes en papier un moule à muffins de 6 alvéoles.

Faites fondre le chocolat noir et le beurre à feu doux dans une petite casserole. Fouettez les œufs, le sucre, la farine et le cacao en poudre dans un saladier. Ajoutez le chocolat fondu et les copeaux de chocolat blanc.

Répartissez la préparation dans les caissettes et faites cuire 12 minutes dans un four préchauffé à 180 °C jusqu'à ce que les muffins aient bien gonflé et soient fermes au toucher. Démoulez et laissez refroidir légèrement sur une grille. Servez tiède.

Pour une version au goût de noix, remplacez les copeaux de chocolat blanc par des noix ou des noix de pécan hachées grossièrement.

entrées et en-cas

halloumi et sauce à la grenade

Pour **4 personnes**
Préparation **10 minutes**
Cuisson **5 minutes**

500 g d'**halloumi** coupé
  en tranches
1 c. à s. de **miel** liquide

Sauce à la grenade
½ **grenade**
4 c. à s. d'**huile d'olive**
  vierge extra
2 c. à s. de **persil** ciselé
1 c. à s. de **jus de citron**
1 petit **piment rouge**
  épépiné et haché finement
1 petite gousse d'**ail** pilée
1 c. à c. de **sirop**
  de grenade (facultatif)
sel et **poivre noir**

Préparez la sauce. À l'aide d'une cuillère, retirez délicatement les graines de grenade et mettez-les dans un bol. Éliminez les membranes blanches. Incorporez les autres ingrédients, salez et poivrez.

Faites chauffer une grande poêle antiadhésive 2 à 3 minutes, puis faites-y griller les tranches de halloumi à feu vif, environ 1 minute de chaque côté, jusqu'à ce qu'elles soient moelleuses et dorées. Procédez en plusieurs fois.

Pendant ce temps, faites chauffer le miel dans une petite casserole jusqu'à ce qu'il soit très fluide.

Disposez les tranches de fromage sur les assiettes et nappez-les de sauce à la grenade. Versez le miel en filet et servez aussitôt.

Pour une sauce à l'avocat, pelez un avocat bien mûr, dénoyautez-le et coupez-le en petits dés. Mélangez-le ensuite avec 4 petits oignons blancs émincés, 1 cuillerée à soupe de jus de citron, 1 cuillerée à soupe de feuilles de coriandre, du sel et du poivre selon votre goût.

galettes de maïs aux feuilles de kaffir

Pour **4 personnes**
Préparation **20 minutes**
+ refroidissement
Cuisson environ **45 minutes**

275 g de **maïs doux**
en boîte, égoutté
65 g de **farine** ordinaire
1 c. à c. de **levure chimique**
1 **œuf** battu légèrement
2 c. à s. de **sauce soja**
claire
1 ½ c. à s. de **jus de citron
vert**
4 feuilles de citronnier **kaffir**,
très finement déchiquetées
1 c. à s. de feuilles
de **coriandre** ciselées
2 c. à s. d'**huile végétale**

Confiture de piments
500 g de **tomates**
bien mûres
4 **piments rouges**
2 gousses d'**ail**
2 c. à s. de **sauce soja**
foncée
200 g de **sucre roux**
75 ml de **vinaigre de riz**
½ c. à c. de **sel**

Préparez la confiture de piments. Hachez grossièrement les tomates, les piments et les gousses d'ail. Mettez le tout dans un robot et mixez jusqu'à obtention d'une préparation lisse. Versez le mélange dans une casserole et ajoutez les autres ingrédients. Portez à ébullition puis réduisez le feu et laissez mijoter 30 à 40 minutes en remuant de temps en temps. Lorsque la préparation a atteint la consistance de la confiture, retirez la casserole du feu et laissez refroidir complètement.

Versez la moitié du maïs dans un robot et mixez jusqu'à obtention d'une pâte lisse. Ajoutez la farine et la levure préalablement tamisées, l'œuf, la sauce soja et le jus de citron vert. Continuez de mixer jusqu'à obtention d'un mélange homogène puis versez la préparation dans un bol. Ajoutez le reste de maïs, les feuilles de kaffir et la coriandre.

Faites chauffer l'huile dans une grande poêle. Déposez 6 cuillerées à soupe de pâte dans la poêle, aplatissez-les et faites-les cuire 1 minute 30 de chaque côté à feu moyen-vif. Répétez l'opération avec la pâte restante de manière à obtenir 12 galettes de 5 cm de diamètre. Servez les galettes bien chaudes avec la confiture de piments, des quartiers de citron et des brins de coriandre.

Pour une présentation originale, emballez les galettes et la confiture de piment dans 4 grandes feuilles de laitue iceberg.

gnocchis au beurre à la sauge

Pour **4 personnes**
Préparation **30 minutes**
Cuisson **15 à 18 minutes**

500 g de **pommes de terre**
  farineuses, coupées
  en dés
1 **œuf** battu
1 c. à c. de **sel de mer**
2 c. à s. d'**huile d'olive**
175 g de **farine** ordinaire
125 g de **beurre**
2 c. à s. de **sauge** ciselée
sel
parmesan fraîchement râpé
  pour servir

Faites cuire les pommes de terre dans une casserole d'eau bouillante légèrement salée 10 à 12 minutes. Égouttez-les puis remettez-les quelques secondes dans la casserole pour les sécher. Écrasez-les puis incorporez l'œuf, le sel, l'huile et la farine de manière à obtenir une pâte collante.

Prélevez des petites boulettes de pâte de la taille d'une noix puis façonnez-les en petits boudins et modelez-les en les faisant rouler le long des dents d'une fourchette.

Portez une grande casserole d'eau légèrement salée à ébullition. Plongez la moitié des gnocchis dans l'eau (congelez l'autre moitié pour une utilisation ultérieure) et laissez cuire 3 minutes jusqu'à ce qu'ils remontent à la surface. Égouttez-les puis répartissez-les dans les assiettes.

Pendant ce temps, faites fondre le beurre dans une poêle. Dès que le beurre cesse de mousser, faites-y revenir la sauge à feu moyen-vif pendant 2 à 3 minutes, en remuant constamment, jusqu'à ce que la sauge croustille et que le beurre soit bien doré. Versez le beurre à la sauge sur les gnocchis, parsemez de parmesan râpé et servez aussitôt.

Pour une version gratinée, suivez la recette puis répartissez les gnocchis dans 4 ramequins. Versez le beurre à la sauge sur les gnocchis, parsemez de parmesan râpé et faites dorer 1 à 2 minutes sous le gril d'un four préchauffé.

paninis à la patate douce et à la fontina

Pour **2 à 4 personnes**
Préparation **10 minutes**
Cuisson **10 à 15 minutes**

250 g de **patates douces**,
 pelées et émincées
1 c. à s. d'**huile d'olive**
 vierge extra
huile végétale pour la friture
12 feuilles de **sauge**
1 **ciabatta**
2 c. à s. de **tapenade**
 toute prête
250 g de **fontina** coupée
 en tranches fines
sel et **poivre noir**

Badigeonnez les tranches de patates douces d'huile d'olive. Salez et poivrez. Faites chauffer une poêle-gril et faites-y cuire les patates douces 3 à 4 minutes de chaque côté, en plusieurs fois, jusqu'à ce qu'elles soient fondantes et bien grillées. Réservez. Nettoyez la poêle.

Pendant ce temps, faites chauffer un peu d'huile végétale dans une petite poêle à frire et faites-y revenir les feuilles de sauge à feu moyen-vif 1 à 2 minutes, en remuant, jusqu'à ce qu'elles croustillent. Retirez du feu et déposez les feuilles de sauge sur du papier absorbant.

Coupez la ciabatta en quatre. Taillez les morceaux de pain de façon qu'ils entrent dans la poêle-gril. Faites chauffer la poêle et frottez le fond avec un peu d'huile végétale. Déposez les morceaux de ciabatta dans la poêle, côté coupé vers le bas, et faites griller 1 minute. Procédez en plusieurs fois si nécessaire.

Nappez la face grillée du pain de tapenade, puis assemblez les morceaux deux par deux en les garnissant de fontina, de feuilles de sauge et de patates douces.

Déposez les sandwichs dans la poêle et faites griller 1 à 2 minutes de chaque côté jusqu'à ce que le fromage au centre soit fondu. Servez aussitôt avec une salade verte.

Pour une version aubergine-mozzarella, remplacez les tranches de patates douces par une grosse aubergine que vous couperez en tranches de 5 mm d'épaisseur, et la fontina par de la mozzarella. À la place de la sauge, utilisez des feuilles de basilic mais ne les faites pas cuire.

bruschettas aux tomates et à la ricotta

Pour **4 personnes**
Préparation **10 minutes**
Cuisson **15 minutes**

500 g de **tomates cerises**
2 c. à s. d'**huile d'olive**
vierge extra
4 grandes tranches de **pain
au levain**
1 grosse gousse d'**ail** pelée
350 g de **ricotta**
½ mesure d'**huile au basilic**
(voir page 124)
sel et **poivre noir**
quelques feuilles de **basilic**
pour décorer

Mettez les tomates cerises dans un plat à gratin, salez, poivrez et arrosez d'huile d'olive. Faites rôtir 15 minutes dans un four préchauffé à 220 °C.

Pendant ce temps, faites chauffer une poêle-gril et faites-y griller les tranches de pain, des deux côtés. Frottez le pain avec l'ail, sur les deux faces.

Déposez sur le pain une tranche de ricotta et les tomates rôties. Arrosez de l'huile au basilic et décorez de quelques feuilles de basilic.

Pour une version aux figues, roquette et feta,
faites griller le pain comme indiqué ci-dessus, puis frottez-le avec l'ail. Mélangez 4 figues fraîches coupées en quatre avec 150 g de feta émiettée, 1 grosse poignée de jeunes feuilles de roquette et un peu de menthe ciselée. Répartissez ce mélange sur le pain, arrosez d'huile d'olive vierge extra et servez.

crostini et pesto aux petits pois et à la ricotta

Pour **6 personnes**
Préparation **10 minutes**
  + refroidissement
Cuisson **10 minutes**

1 **baguette** coupée
  en tranches
3 c. à s. d'**huile d'olive**
  vierge extra + 1 filet
  pour servir
250 g de **petits pois** frais
  écossés ou surgelés
1 petite gousse d'**ail** pilée
50 g de **ricotta**
le **jus** de ½ **citron**
1 c. à s. de **menthe** ciselée
15 g de **parmesan**
  fraîchement râpé
sel et **poivre noir**

Disposez les tranches de pain sur une plaque de cuisson, badigeonnez-les légèrement d'huile d'olive (1 cuillerée à soupe) et enfournez-les pour 5 à 6 minutes dans un four préchauffé à 190 °C jusqu'à ce qu'elles soient croustillantes et dorées. Laissez refroidir sur une grille pendant que vous préparez le pesto.

Faites cuire les petits pois dans une casserole d'eau bouillante légèrement salée 3 minutes. Égouttez-les et rincez-les immédiatement sous l'eau froide. Versez les petits pois dans un robot, ajoutez le reste d'huile, l'ail, la ricotta, le jus de citron, la menthe, le parmesan, du sel et du poivre, et mixez jusqu'à obtention d'un mélange lisse.

Tartinez les crostini de pesto, arrosez d'un filet d'huile d'olive et servez.

Pour un pesto aux fèves et à l'aneth, remplacez les petits pois par 250 g de fèves surgelées (ou de fèves fraîches écossées) que vous ferez cuire 3 minutes dans une casserole d'eau bouillante légèrement salée. Égouttez-les, rafraîchissez-les sous l'eau froide et poursuivez comme indiqué ci-dessus, en remplaçant la menthe par la même quantité d'aneth ciselé.

frittata à la sauge
et au fromage de chèvre

Pour **4 personnes**
Préparation **10 minutes**
Cuisson **10 minutes**

25 g de **beurre**
18 grandes feuilles
  de **sauge**
50 g de **fromage de chèvre**
  crémeux, émietté
2 c. à s. de **crème fraîche**
4 **œufs**
sel et **poivre noir**

Faites fondre le beurre dans un poêlon antiadhésif allant au four. Dès qu'il cesse de mousser, faites-y revenir les feuilles de sauge à feu moyen-vif, 2 à 3 minutes, en remuant, jusqu'à ce que les feuilles soient croustillantes. Prenez 6 feuilles que vous déposerez sur du papier absorbant. Mettez les feuilles restantes dans un bol, avec le beurre.

Fouettez ensemble le fromage de chèvre et la crème fraîche. Dans un autre bol, fouettez les œufs, salez et poivrez, puis ajoutez les feuilles de sauge avec le beurre.

Remettez le poêlon sur le feu, en ajoutant un peu de beurre si nécessaire. Versez-y les œufs puis déposez-y des cuillerées de fromage de chèvre à la crème fraîche. Faites cuire 4 à 5 minutes à feu moyen jusqu'à ce que le dessous soit pris, puis glissez le poêlon dans le four et faites dorer sous le gril. Laissez refroidir légèrement puis faites glisser la frittata sur un plat de service. Décorez avec les feuilles de sauge réservées et servez aussitôt, avec du pain croustillant.

Pour une version aux épinards, remplacez les feuilles de sauge par 175 g de jeunes feuilles d'épinards et 1 gousse d'ail pilée que vous ferez revenir 2 minutes dans le beurre. Lorsqu'ils sont fondants, mélangez les épinards avec les œufs (deuxième étape), puis poursuivez la recette.

figues rôties au fromage de chèvre

Pour **4 personnes**
Préparation **10 minutes**
Cuisson **10 à 12 minutes**

8 **figues** fraîches fermes
  mais mûres
75 g de **fromage de chèvre**
  crémeux
8 feuilles de **menthe**
2 c. à s. d'**huile d'olive**
  vierge extra
sel et **poivre noir**

Salade à la roquette
150 g de jeunes feuilles
  de **roquette**
1 c. à s. d'**huile d'olive**
  vierge extra
1 c. à c. de **jus de citron**
sel et **poivre noir**

Fendez les figues en quatre sans séparer les quartiers.
Déposez 1 cuillerée à café de fromage de chèvre
et 1 feuille de menthe à l'intérieur de chaque figue.
Disposez les figues dans un plat à gratin, salez, poivrez
et arrosez d'huile d'olive. Faites cuire 10 à 12 minutes
dans un four préchauffé à 190 °C jusqu'à ce que les
figues soient fondantes et que le fromage soit fondu.

Mettez les feuilles de roquette dans un saladier.
Fouettez ensemble l'huile, le jus de citron, du sel
et du poivre, et versez cette sauce sur la roquette.
Servez la salade de roquette avec les figues.

Pour une variante mozzarella-basilic, remplacez
le fromage de chèvre par 125 g de mozzarella coupée
en tranches, et la menthe par du basilic.

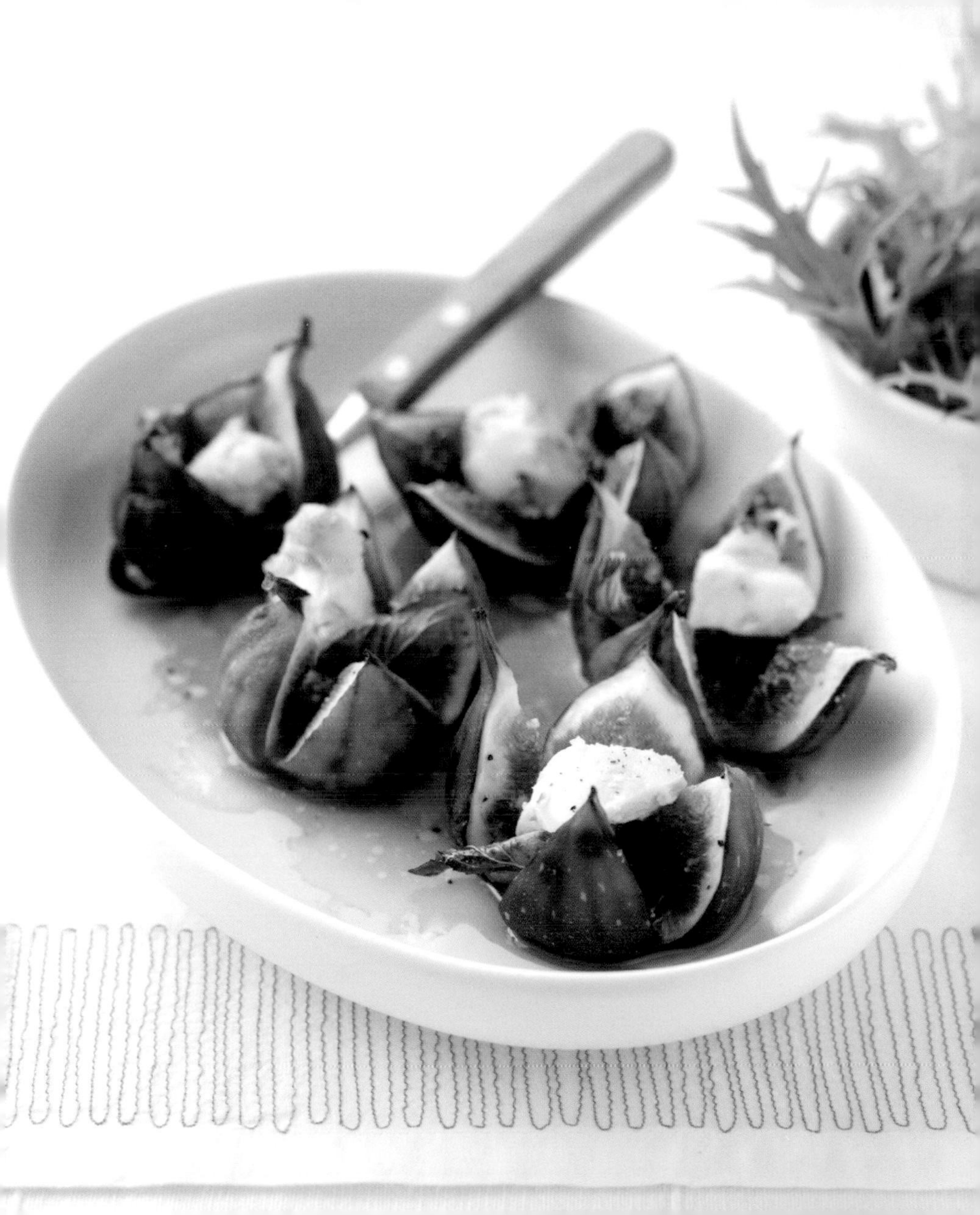

tofu et sauce vinaigrée au piment

Pour **4 personnes**
Préparation **15 minutes**
  + refroidissement
Cuisson **15 minutes**

huile végétale pour la friture
500 g de **tofu mou** égoutté
50 g de **fécule de maïs**
2 c. à c. de **sel** + 1 pincée
  pour servir
1 c. à c. de **cinq-épices**
  chinois + 1 pincée
  pour servir

Sauce vinaigrée au piment
75 ml de **vinaigre de riz**
75 ml d'**eau**
2 c. à s. de **sucre** en poudre
1 c. à s. de **sauce soja**
  claire
1 gros **piment rouge**,
  épépiné et haché finement
1 c. à c. d'**huile de sésame**

Préparez d'abord la sauce. Fouettez le vinaigre, l'eau et le sucre dans un bol jusqu'à ce que le sucre soit dissous. Transvasez la préparation dans une casserole et portez à ébullition. Réduisez le feu et laissez frémir 5 à 6 minutes jusqu'à ce que le mélange ait réduit de moitié et soit devenu sirupeux. Laissez reposer 30 minutes puis incorporez la sauce soja, le piment et l'huile de sésame. Versez la sauce obtenue dans un bol.

Faites chauffer de l'huile végétale (5 cm) dans une casserole à bords hauts et à fond épais jusqu'à ce qu'elle atteigne 180-190°C (un petit cube de pain doit dorer en 30 secondes). Pendant ce temps, coupez le tofu en dés de 3 cm. Dans un bol, mélangez la fécule de maïs avec le sel et le cinq-épices. Tournez les dés de tofu (quelques-uns à la fois) dans la fécule puis plongez-les dans l'huile chaude et laissez-les frire 2 à 3 minutes jusqu'à ce qu'ils soient croustillants et dorés. Retirez les dés de tofu à l'aide d'une écumoire et déposez-les sur du papier absorbant.

Disposez les dés de tofu sur un plat et saupoudrez-les de sel et de cinq-épices. Servez aussitôt, avec la sauce vinaigrée au piment.

Pour une version rôtie, coupez 500 g de tofu ferme en dés de 2,5 cm. Mélangez-les avec 2 cuillerées à soupe de sauce soja, 1 cuillerée à soupe de sauce aux piments doux, 1 cuillerée à café de miel clair et 1 pincée de cinq-épices. Versez cette préparation dans un plat à gratin et faites dorer 15 à 20 minutes dans un four préchauffé à 220 °C.

dip à l'aubergine et tortillas grillées

Pour **6 personnes**
Préparation **15 minutes**
  + refroidissement
Cuisson **15 minutes**

1 grosse **aubergine**
4 c. à s. d'**huile d'olive**
  vierge extra
1 c. à c. de **cumin**
  en poudre
150 ml de **yaourt grec**
1 petite gousse d'**ail** pilée
2 c. à s. de **coriandre**
  ciselée
1 c. à s. de **jus de citron**
4 **tortillas** à la farine de blé
sel et **poivre noir**

Coupez l'aubergine dans la longueur, en tranches de 5 mm d'épaisseur. Dans un bol, mélangez 3 cuillerées à soupe d'huile d'olive avec le cumin, du sel et du poivre, et badigeonnez les tranches d'aubergine avec ce mélange. Faites cuire 3 à 4 minutes de chaque côté, dans une poêle-gril ou sous le gril d'un four préchauffé. Quand les tranches sont fondantes et bien grillées, laissez-les refroidir puis hachez-les finement.

Mélangez l'aubergine avec le yaourt, puis ajoutez l'ail, la coriandre, le jus de citron, l'huile d'olive restante, du sel et du poivre selon votre goût. Versez cette préparation dans un bol.

Faites griller les tortillas 3 minutes de chaque côté dans la poêle-gril bien chaude ou sous le gril du four. Ensuite, coupez-les en triangles et servez aussitôt, avec le dip à l'aubergine.

Pour un dip au concombre et à la menthe, remplacez l'aubergine par ½concombre râpé finement. Pressez-le pour extraire l'eau puis mélangez-le aux ingrédients cités dans la recette après avoir remplacé les feuilles de coriandre par la même quantité d'aneth ciselé.

pitas aux falafels

Pour **4 personnes**
Préparation **15 minutes**
  + trempage
Cuisson **12 minutes**

250 g de **pois chiches** secs
1 petit **oignon** haché
  finement
2 gousses d'**ail** pilées
½ bouquet de **persil**
½ bouquet de **coriandre**
2 c. à c. de **coriandre
  en poudre**
½ c. à c. de **levure chimique**
huile végétale pour la friture
4 **pitas**
1 poignée de **feuilles
  de salade**
2 **tomates** coupées en dés
yaourt grec pour servir

Mettez les pois chiches dans un saladier et recouvrez-les d'eau (au moins 10 cm au-dessus des pois chiches). Laissez tremper toute une nuit.

Égouttez les pois chiches, versez-les dans un robot et mixez grossièrement. Ajoutez l'oignon, l'ail, le persil, la coriandre fraîche, la coriandre en poudre, la levure, du sel et du poivre, et continuez de mixer jusqu'à obtention d'un mélange parfaitement lisse. Mouillez vos mains et façonnez 16 petites boulettes.

Faites chauffer un peu d'huile végétale dans une grande poêle et faites-y revenir les boulettes 3 minutes de chaque côté à feu moyen-vif jusqu'à ce qu'elles soient cuites et bien dorées. Procédez en plusieurs fois si nécessaire. Déposez les boulettes sur du papier absorbant.

Ouvrez les pitas et garnissez-les avec les boulettes, les feuilles de salade et les dés de tomates. Ajoutez 1 cuillerée de yaourt et servez aussitôt.

Pour transformer ce snack en salade, mélangez 4 poignées de feuilles de salade mélangées avec un peu d'huile d'olive vierge extra, du jus de citron, du sel et du poivre. Répartissez la salade sur les assiettes. Déposez les boulettes de pois chiches sur la salade et arrosez avec un filet de sauce au yaourt (voir page 76).

potiron rôti et pesto aux noix

Pour **4 personnes**
Préparation **15 minutes**
Cuisson **20 à 25 minutes**

1 kg de **potiron**
huile d'olive vierge extra
sel et **poivre noir**

Pesto aux noix
50 g de cerneaux de **noix**
   grillés
2 petits **oignons blancs**
   hachés
1 grosse gousse d'**ail** pilée
50 g de feuilles de **roquette**
   + quelques feuilles
   pour décorer
3 c. à s. d'**huile de noix**
3 c. à s. d'**huile d'olive**
   vierge extra

Coupez le potiron en 8 morceaux. Retirez les graines mais laissez la peau. Badigeonnez d'huile d'olive, salez et poivrez, et disposez les morceaux sur une grande plaque de cuisson. Faites cuire 20 à 25 minutes dans un four préchauffé à 220 °C jusqu'à ce que la chair soit fondante. Tournez les morceaux en milieu de cuisson.

Pendant ce temps, préparez le pesto. Dans un robot, mixez finement les noix, les oignons, l'ail et la roquette. Sans arrêter le moteur, ajoutez progressivement l'huile de noix et l'huile d'olive. Salez et poivrez.

Servez le potiron rôti avec le pesto et décorez de quelques feuilles de roquette.

Vous pouvez aussi servir ce pesto avec des gnocchis. Préparez le pesto comme indiqué ci-dessus. Faites cuire les gnocchis surgelés de la recette page 46 pendant 5 à 6 minutes dans une grande casserole d'eau bouillante légèrement salée, jusqu'à ce qu'ils remontent à la surface. Égouttez-les, versez-les dans un plat beurré puis nappez-les de pesto.

wontons champignons gingembre

Pour **4 personnes**
Préparation **30 minutes**
  + refroidissement
Cuisson **10 à 12 minutes**

2 c. à s. d'**huile végétale**
1 gousse d'**ail** pilée
1 c. à c. de **gingembre** frais
  râpé
250 g de **champignons**
  mélangés, nettoyés
  et hachés finement
1 c. à s. de **sauce soja**
  foncée
1 c. à s. de **coriandre** ciselée
16 carrés de **pâte à wontons**
  (épicerie asiatique)

**Sauce au poivre
  du Sichuan**
1 c. à c. de **piment** séché
150 ml de **bouillon
  de légumes**
1 c. à s. de **vinaigre de riz**
1 c. à s. de **sauce soja**
  claire
2 c. à c. de **sucre** en poudre
¼ de c. à c. de **poivre
  du Sichuan** fraîchement
  moulu

Faites chauffer l'huile dans une poêle puis faites-y revenir l'ail et le gingembre à feu moyen, 2 à 3 minutes en remuant. Ajoutez les champignons et la sauce soja, et poursuivez la cuisson, toujours en remuant, 3 à 4 minutes. Hors du feu, salez et poivrez, puis ajoutez la coriandre. Laissez refroidir.

Mettez tous les ingrédients de la sauce dans une casserole et faites chauffer à feu doux sans cesser de remuer. Évitez l'ébullition. Réservez au chaud.

Déposez 1 cuillerée à café du mélange aux champignons au centre de chaque carré de pâte. Humectez le pourtour avec un peu d'eau, et pliez les wontons en deux, en diagonale, en pressant les bords pour les souder.

Portez à ébullition une grande casserole d'eau légèrement salée. Plongez-y les wontons et laissez-les cuire 2 à 3 minutes jusqu'à ce qu'ils remontent à la surface. Égouttez puis répartissez les wontons dans 4 coupelles chaudes. Versez la sauce sur les wontons en la filtrant et servez aussitôt.

Pour une version croustillante, faites chauffer de l'huile végétale (5 cm) dans un wok ou dans une sauteuse à bords hauts et à fond épais jusqu'à ce qu'elle atteigne 180-190°C. Plongez-y les wontons et laissez-les frire 2 à 3 minutes. Procédez en plusieurs fois. Retirez les wontons de l'huile chaude à l'aide d'une écumoire et déposez-les sur du papier absorbant. Servez-les avec de la confiture de piments (voir page 44).

hoummous aux haricots blancs, citron et romarin

Pour **4 à 6 personnes**
Préparation **10 minutes**
+ refroidissement
Cuisson **10 minutes**

6 c. à s. d'**huile d'olive**
vierge extra + 1 filet
pour servir
4 **échalotes** hachées
finement
2 grosses gousses d'**ail**
pilées
1 c. à c. de **romarin** ciselé
+ quelques brins
pour décorer
le **jus** et le **zeste** râpé
de ½ **citron**
2 x 400 g de gros **haricots
blancs** en boîte
sel et **poivre noir**
tranches de **ciabatta** grillées
pour servir

Faites chauffer l'huile dans une poêle puis faites-y revenir les échalotes, l'ail, le romarin et le zeste de citron à feu doux, pendant 10 minutes, jusqu'à ce que les échalotes soient fondantes. Remuez de temps en temps. Laissez refroidir.

Versez la préparation dans un robot, ajoutez les autres ingrédients et mixez jusqu'à obtention d'une pâte lisse.

Nappez une ciabatta grillée de hoummous, décorez de quelques brins de romarin et arrosez d'un filet d'huile d'olive.

Pour un hoummous aux pois chiches et au piment, versez 2 x 400 g de pois chiches en boîte, égouttés, dans un robot avec 2 piments rouges épépinés et hachés, 1 grosse gousse d'ail pilée, 2 cuillerées à soupe de jus de citron, du sel et du poivre, et mixez tout en ajoutant de l'huile d'olive vierge extra jusqu'à obtention d'une pâte souple. Servez ce dip avec des bâtonnets de légumes crus.

tartelettes oignons-bleu-noix

Pour **8 tartelettes**
Préparation **20 minutes**
 + refroidissement
Cuisson **35 à 40 minutes**

40 g de **beurre**
500 g d'**oignons** émincés
2 gousses d'**ail** pilées
1 c. à s. de **thym** ciselé
50 g de cerneaux de **noix**
 hachés
350 g de **pâte feuilletée**
 (décongelée si elle
 est surgelée)
farine ordinaire pour fariner
 le plan de travail
150 g de **bleu** coupé
 en petits morceaux
sel et **poivre noir**

Faites fondre le beurre dans une poêle puis faites-y blondir les oignons et l'ail avec le thym, à feu moyen, 20 à 25 minutes. Remuez de temps en temps. Ajoutez les noix. Laissez refroidir.

Étalez la pâte feuilletée au rouleau sur un plan de travail fariné, de manière à former un rectangle de 40 x 20 cm. Coupez les bords pour qu'ils soient bien nets, puis divisez le rectangle en deux à la verticale, puis en quatre à l'horizontale, de manière à obtenir 8 carrés de 10 cm de côtés.

Répartissez la préparation aux oignons sur les carrés de pâte, sans aller jusqu'aux bords. Parsemez de miettes de bleu puis déposez les tartelettes sur une grande plaque de cuisson. Faites cuire 12 à 15 minutes dans un four préchauffé à 220 °C, jusqu'à ce que la pâte soit cuite et le fromage doré. Laissez refroidir légèrement avant de servir.

Pour une variante au fromage de chèvre, étalez la pâte au rouleau et posez-la, sans la découper, sur une plaque de cuisson. Versez la préparation aux oignons sur la pâte, jusqu'à 1 cm des bords. Parsemez de fromage de chèvre crémeux (200 g) émietté ou coupé en petits morceaux. Enfournez 20 à 25 minutes jusqu'à ce que la pâte soit cuite et le chèvre doré.

plats
principaux

curry de butternut, tofu et petits pois

Pour **4 personnes**
Préparation **15 minutes**
Cuisson **25 minutes**

1 c. à s. d'**huile
de tournesol**
1 c. à s. de **pâte de curry
rouge** thaïe
500 g de courge **butternut**,
sans les graines, pelée
et coupée en dés
450 ml de **bouillon
de légumes**
400 g de **lait de coco**
6 feuilles de citronnier **kaffir**
émiettées + quelques
petits morceaux
pour décorer
200 g de **petits pois**
surgelés
300 g de **tofu** ferme
coupé en dés
2 c. à s. de **sauce soja**
claire
le **jus** de 1 **citron vert**
quelques feuilles
de **coriandre** ciselées
pour décorer
1 **piment rouge** émincé

Faites chauffer l'huile dans un wok ou dans une poêle à bords hauts, puis faites-y chauffer la pâte de curry 1 minute à feu doux. Ajoutez les dés de butternut et faites sauter quelques instants. Ajoutez le bouillon de légumes, le lait de coco et les feuilles de kaffir. Portez à ébullition puis couvrez, réduisez le feu et laissez mijoter 15 minutes à feu doux jusqu'à ce que la courge soit cuite.

Ajoutez les petits pois, le tofu, la sauce soja et le jus de citron vert, et laissez mijoter encore 5 minutes. Répartissez le curry dans 4 bols, décorez avec quelques morceaux de feuilles de kaffir, un peu de coriandre ciselée et de piment émincé.

Pour une version au curry vert, remplacez la pâte de curry rouge par de la verte, et la courge butternut par 1 carotte coupée en rondelles, 1 courgette en tranches et 1 poivron rouge épépiné et émincé. Poursuivez en suivant les instructions ci-dessus.

couscous aux légumes grillés

Pour **4 personnes**
Préparation **20 minutes**
Cuisson **16 à 20 minutes**

1 grosse **aubergine**
2 grosses **courgettes**
2 **poivrons rouges**
  épépinés et coupés
  en morceaux
4 c. à s. d'**huile d'olive**
200 g de **semoule**
450 ml de **bouillon
  de légumes** bouillant
50 g de **beurre**
2 c. à s. de **fines herbes**
  mélangées (menthe,
  coriandre, persil…)
le **jus** de 1 **citron**
sel et **poivre noir**

Sauce au yaourt
125 g de **yaourt grec**
1 c. à s. de **tahini**
1 gousse d'**ail** pilée
½ c. à s. de **jus de citron**
1 c. à s. d'**huile d'olive**
  vierge extra

Coupez l'aubergine et les courgettes en tranches de 5 mm d'épaisseur. Mettez les tranches dans un saladier, avec les poivrons rouges. Ajoutez l'huile d'olive, du sel et du poivre, et remuez soigneusement.

Faites chauffer une poêle-gril et faites-y griller les légumes 3 à 4 minutes de chaque côté. Procédez en plusieurs fois.

Pendant ce temps, préparez la semoule. Versez la semoule dans un plat résistant à la chaleur, ajoutez le bouillon de légumes bouillant, couvrez et laissez reposer 5 minutes. Aérez les grains avec une fourchette et ajoutez le beurre, les fines herbes, le jus de citron, du sel et du poivre selon votre goût.

Préparez la sauce au yaourt. Dans un bol, mélangez tous les ingrédients. Salez et poivrez. Servez cette sauce à part.

Vous pouvez remplacer la sauce au yaourt par une mayonnaise à l'ail. Écrasez 1 ou 2 gousses d'ail et mélangez-les à 150 g de mayonnaise de bonne qualité. Servez cette mayonnaise à part.

poivrons farcis

Pour **2 personnes**
Préparation **10 minutes**
Cuisson **55 à 60 minutes**

4 gros **poivrons rouges**
2 gousses d'**ail** pilées
1 c. à s. de **thym** ciselé
    + 1 pincée pour décorer
4 **tomates** allongées
    (type roma) coupées
    en deux
4 c. à s. d'**huile d'olive**
    vierge extra
2 c. à s. de **vinaigre**
    balsamique
sel et **poivre noir**

Coupez les poivrons en deux, dans la longueur, puis retirez les graines. Disposez les moitiés de poivrons, côté coupé vers le haut, dans un plat à gratin tapissé de papier d'aluminium ou dans un plat en céramique. Répartissez l'ail et le thym sur les poivrons. Salez et poivrez.

Mettez ½ tomate dans chaque poivron, et arrosez d'huile et de vinaigre. Faites cuire 55 à 60 minutes dans un four préchauffé à 220 °C, jusqu'à ce que les poivrons soient fondants et bien grillés.

Servez ces poivrons farcis avec du pain croustillant pour saucer et éventuellement, de la salade verte.

Pour une version colorée, utilisez des poivrons verts, jaunes et rouges. Au bout de 45 minutes de cuisson, déposez une tranche de mozzarella sur chaque poivron et remettez au four 10 à 15 minutes.

risotto crémeux petits pois menthe

Pour **4 personnes**
Préparation **15 minutes**
Cuisson **35 minutes**

1,2 l de **bouillon
de légumes**
50 g de **beurre**
1 gros **oignon** émincé
2 gousses d'**ail** pilées
300 g de **riz arborio**
150 ml de **vin blanc sec**
350 g de **petits pois** frais
écossés ou surgelés
½ bouquet de feuilles
de **menthe** froissées
50 g de **brie** coupé en dés
sel et **poivre noir**
parmesan fraîchement râpé
pour servir

Versez le bouillon dans une casserole et faites frémir.

Faites fondre le beurre dans une casserole, ajoutez l'oignon, l'ail, du sel et du poivre, et faites revenir 10 minutes à feu doux, en remuant de temps en temps, jusqu'à ce que l'oignon blondisse. Ajoutez le riz et remuez 1 minute jusqu'à ce que tous les grains soient brillants. Ajoutez le vin, portez à ébullition et maintenez l'ébullition 1 à 2 minutes jusqu'à absorption complète du vin. Ajoutez les petits pois.

Versez environ 150 ml de bouillon dans le riz et poursuivez la cuisson à feu moyen, en remuant, jusqu'à absorption du bouillon. Continuez d'ajouter le bouillon, petit à petit, et poursuivez la cuisson, sans cesser de remuer, environ 20 minutes, jusqu'à ce que le riz soit *al dente* et que tout le bouillon ait été absorbé.

Retirez la casserole du feu. Ajoutez la menthe et le brie, couvrez et laissez fondre le fromage 5 minutes. Servez ce risotto avec du parmesan râpé.

Pour préparer des galettes de riz, laissez le risotto refroidir complètement puis incorporez-y un œuf battu. Façonnez des petites boulettes de riz que vous tournerez dans de la chapelure. Faites chauffer un peu d'huile végétale dans une poêle, puis faites-y rissoler les galettes 2 à 3 minutes de chaque côté jusqu'à ce qu'elles soient bien dorées. Servez ces galettes avec une salade verte.

spaghettis aux fèves et au citron

Pour **4 personnes**
Préparation **10 minutes**
Cuisson **15 à 18 minutes**

450 g de **spaghettis**
350 g de **fèves** fraîches
   écossées ou surgelées
4 c. à s. d'**huile d'olive**
   vierge extra
3 gousses d'**ail** hachées
   finement
1 pincée de **piment séché**
le **jus** et le **zeste** râpé
   de 1 **citron**
2 c. à s. de feuilles
   de **basilic** froissées
sel et **poivre noir**
parmesan ou pecorino
   fraîchement râpé
   (facultatif)

Faites cuire les pâtes dans une grande quantité d'eau bouillante légèrement salée 10 à 12 minutes (ou selon les indications du paquet). Quand les pâtes sont cuites *al dente*, égouttez-les en réservant 4 cuillerées à soupe d'eau de cuisson. Remettez les spaghettis dans la casserole.

Pendant ce temps, faites cuire les fèves 3 à 4 minutes dans une casserole d'eau bouillante salée. Égouttez soigneusement.

Pendant la cuisson des pâtes et des fèves, faites chauffer l'huile dans une poêle, puis faites-y revenir l'ail, le piment, le zeste de citron, du sel et du poivre à feu doux, 3 à 4 minutes, jusqu'à ce que l'ail blondisse sans roussir.

Versez l'huile et l'ail sur les pâtes, ajoutez les fèves, les 4 cuillerées à soupe d'eau de cuisson, le jus de citron et le basilic, et réchauffez le tout à feu moyen, sans cesser de remuer. Parsemez de parmesan ou de pecorino râpé si vous le souhaitez.

Pour une version aux petits pois et à la menthe, remplacez les fèves par la même quantité de petits pois frais écossés, et suivez la recette. Parsemez de 2 cuillerées à soupe de menthe ciselée juste avant de servir, à la place du basilic.

croquettes de poireaux au thym

Pour **4 personnes**
Préparation **25 minutes**
+ trempage
et refroidissement
Cuisson **45 à 50 minutes**

1 c. à s. d'**huile d'olive**
1 **poireau** paré et haché
finement
2 c. à c. de **thym** ciselé
150 g de **cheddar** râpé
150 g de **miettes de pain
complet**
100 g de **ricotta**
1 c. à s. de **moutarde
à l'ancienne**
1 **œuf** battu
50 g de **chapelure** de pain
blanc ou complet
huile de tournesol
pour la friture
sel et **poivre noir**

Sauce
2 c. à s. d'**huile d'olive**
2 **oignons rouges** émincés
50 g de **canneberges**
déshydratées
1 c. à s. de **vinaigre
balsamique**
100 g de **sauce
aux canneberges**
(cranberries sauce)

Préparez la sauce. Faites chauffer l'huile dans une casserole, puis faites-y revenir les oignons à feu moyen 20 à 25 minutes en remuant de temps en temps. Pendant ce temps, faites tremper les canneberges dans le vinaigre. Ajoutez-les dans la casserole, ainsi que la sauce aux canneberges et 2 cuillerées à soupe d'eau, et poursuivez la cuisson 10 minutes jusqu'à épaississement. Salez et poivrez, et laissez refroidir.

Pendant ce temps, faites chauffer l'huile d'olive dans une poêle, puis faites-y cuire le poireau et le thym 5 minutes à feu moyen, en remuant souvent. Laissez refroidir.

Mélangez ensemble le poireau, le cheddar, les miettes de pain, la ricotta, la moutarde, du sel et du poivre. Ajoutez l'œuf et mélangez jusqu'à obtention d'une pâte souple. Façonnez 12 croquettes que vous tournerez dans la chapelure.

Faites chauffer un peu d'huile de tournesol dans une poêle et faites-y rissoler les croquettes à feu moyen 10 minutes, en les retournant souvent. Servez les croquettes bien dorées, avec la sauce.

Pour une version « burgers », façonnez 8 galettes de pâte que vous tournerez dans la chapelure. Farcissez 4 petits pains avec ces galettes, plus quelques feuilles de laitue et des tranches de tomates.

petits toasts à l'aubergine et au pesto

Pour **4 personnes**
Préparation **15 minutes**
Cuisson **18 à 20 minutes**

1 grosse **aubergine**
4 c. à s. d'**huile d'olive**
vierge extra
4 tranches de **pain
au levain**
2 **tomates cœur de bœuf**,
coupées en tranches
épaisses
200 g de **mozzarella**
coupée en tranches
sel et **poivre noir**

Pesto
50 g de feuilles de **basilic**
1 gousse d'**ail** pilée
4 c. à s. de **pignons de pin**
100 ml d'**huile d'olive**
vierge extra
2 c. à s. de **parmesan**
fraîchement râpé

Préparez le pesto. Mettez le basilic, l'ail, les pignons, l'huile d'olive, du sel et du poivre dans un robot, et mixez jusqu'à obtention d'une pâte lisse. Versez la préparation dans un bol, ajoutez le parmesan et rectifiez l'assaisonnement. Réservez.

Coupez l'aubergine en tranches de 1 cm d'épaisseur. Badigeonnez les tranches d'huile salée et poivrée. Faites chauffer une poêle-gril et faites-y griller les tranches d'aubergine 4 à 5 minutes de chaque côté, si nécessaire en plusieurs fois.

Pendant ce temps, faites griller le pain.

Déposez une tranche d'aubergine sur chaque tranche de pain. Nappez de pesto. Ajoutez les tranches de tomates et la mozzarella, et finissez avec un peu de pesto. Faites dorer 1 à 2 minutes sous le gril d'un four préchauffé.

Pour une version « burgers », farcissez 4 petits pains grillés avec les tranches d'aubergine, le pesto, les tomates et la mozzarella.

risotto à la betterave et au fromage de chèvre

Pour **4 à 6 personnes**
Préparation **15 minutes**
Cuisson **35 minutes**

1,2 l de **bouillon
de légumes**
350 g de **betteraves** cuites,
coupées en dés
4 c. à s. d'**huile d'olive**
vierge extra
1 **oignon rouge** émincé
2 gousses d'**ail** pilées
2 c. à c. de **thym** ciselé
300 g de **riz arborio**
125 ml de **vin rouge**
100 g de **fromage
de chèvre** crémeux,
coupé en dés
100 g de **noix de pécan**
grillées et hachées
sel et **poivre noir**

Versez le bouillon et le jus des betteraves dans une casserole, et faites frémir.

Pendant ce temps, faites chauffer l'huile dans une autre casserole et faites-y revenir l'oignon, l'ail, le thym, du sel et du poivre, à feu doux pendant 10 minutes, en remuant de temps en temps. Ajoutez le riz et remuez pendant 1 minute, jusqu'à ce que tous les grains soient brillants. Ajoutez le vin, portez à ébullition et maintenez l'ébullition 1 à 2 minutes jusqu'à absorption complète du vin. Ajoutez les dés de betteraves.

Versez environ 150 ml de bouillon dans le riz et poursuivez la cuisson à feu moyen, en remuant constamment, jusqu'à absorption du bouillon. Continuez d'ajouter le bouillon, petit à petit, et poursuivez la cuisson, sans cesser de remuer, pendant environ 20 minutes, jusqu'à ce que le riz soit *al dente* et que tout le bouillon ait été absorbé.

Retirez la casserole du feu. Ajoutez le fromage de chèvre et les noix de pécan, couvrez et laissez reposer 2 à 3 minutes, jusqu'à ce que le fromage ait fondu. Servez ce risotto avec de la roquette.

Pour une variante au mascarpone, remplacez le fromage de chèvre par 150 g de mascarpone. On trouve, dans tous les supermarchés, des betteraves déjà cuites emballées sous vide, idéales pour cette recette.

lasagne champignons-épinards

Pour **6 à 8 personnes**
Préparation **35 minutes**
  + infusion
Cuisson **45 à 50 minutes**

4 c. à s. d'**huile d'olive**
2 gousses d'**ail** pilées
2 c. à c. de **thym** ciselé
500 g de **champignons
  de Paris**, nettoyés
  et coupés en lamelles
500 g d'**épinards** surgelés,
  décongelés
huile en spray
200 g de feuilles de **lasagne**
  fraîches
sel et **poivre noir**

Sauce au fromage
1,2 l de **lait**
2 feuilles de **laurier** fraîches
50 g de **beurre doux**
  + 1 noisette
  pour graisser le plat
50 g de **farine** ordinaire
250 g de **cheddar** râpé

Pour la sauce au fromage, versez le lait dans une casserole, ajoutez les feuilles de laurier et portez à ébullition. Ensuite, retirez la casserole du feu et laissez infuser. Au bout de 20 minutes, jetez les feuilles de laurier.

Faites fondre le beurre dans une autre casserole. Ajoutez la farine et remuez 1 minute à feu moyen. Ajoutez progressivement le lait infusé et poursuivez la cuisson, sans cesser de remuer. Quand la sauce bout, réduisez le feu et laissez mijoter 2 minutes. Hors du feu, ajoutez une grande partie du cheddar et remuez jusqu'à ce qu'il ait fondu.

Faites chauffer l'huile dans une poêle. Faites-y revenir l'ail, le thym, les champignons, du sel et du poivre à feu moyen, 5 minutes en remuant. Pressez les épinards pour extraire l'eau et hachez-les grossièrement. Ajoutez-les aux champignons. Retirez la poêle du feu.

Huilez un plat à gratin d'une contenance de 2,5 litres. Versez un quart de la sauce dans le fond du plat, et un tiers du mélange champignons-épinards. Posez une couche de lasagne sur les légumes. Répétez l'opération deux fois et finissez avec une couche de sauce. Parsemez de cheddar râpé et faites cuire 35 à 40 minutes dans un four préchauffé à 190 °C, jusqu'à ce que les lasagnes soit bien dorées. Servez avec de la salade verte.

Pour des lasagne tomates-champignons, remplacez les épinards par une sauce tomate (voir page 186).

omelette et tomates au basilic

Pour **4 personnes**
Préparation **10 minutes**
Cuisson **16 à 20 minutes**

4 c. à s. d'**huile d'olive**
   vierge extra
500 g de **tomates cerises**
   coupées en deux
quelques feuilles de **basilic**
   ciselées
12 **œufs**
2 c. à s. de **moutarde**
   à l'ancienne
50 g de **beurre**
100 g de **fromage**
   de chèvre crémeux,
   coupé en dés
sel et **poivre noir**
quelques feuilles de **cresson**
   pour décorer

Faites chauffer l'huile dans une grande poêle et faites-y cuire les tomates 2 à 3 minutes, en remuant délicatement. Procédez en plusieurs fois si nécessaire. Quand les tomates sont fondantes, ajoutez le basilic, salez et poivrez. Versez cette préparation dans un bol et maintenez-la au chaud dans un four modéré.

Dans un saladier, fouettez les œufs, la moutarde, du sel et du poivre. Faites fondre 15 g de beurre dans une poêle. Dès qu'il cesse de mousser, versez un quart de la préparation aux œufs dans la poêle et faites cuire à feu moyen, en remuant l'omelette avec une fourchette pour qu'elle cuise uniformément.

Dès que le dessous de l'omelette a pris mais que le dessus est encore un peu baveux, garnissez la moitié de l'omelette avec un quart du fromage de chèvre. Poursuivez la cuisson 30 secondes, puis faites délicatement glisser l'omelette sur une assiette chaude en la pliant en deux. Maintenez-la au chaud dans le four. Répétez l'opération trois fois.

Décorez les omelettes avec quelques feuilles de cresson et servez aussitôt, avec les tomates et de la salade verte.

Pour une omelette farcie, passez directement à la deuxième étape et ajoutez les tomates sur l'omelette, en même temps que le fromage de chèvre. Servez avec de la roquette.

chiches-kebabs aux légumes et riz pilaf

Pour **4 personnes**
Préparation **20 minutes**
+ marinade et repos
Cuisson **25 minutes**

1 c. à s. de **romarin** ciselé
5 c. à s. d'**huile d'olive**
vierge extra
2 **courgettes**
1 gros **poivron rouge**
épépiné
16 **champignons de Paris**
nettoyés
8 **tomates cerises**
yaourt grec pour servir

Riz pilaf
250 g de **riz basmati**
1 **oignon** émincé
2 gousses d'**ail** hachées
finement
6 gousses de **cardamome**
légèrement écrasées
100 g de **canneberges**
déshydratées
50 g de **pistaches** grillées
et hachées
2 c. à s. de **coriandre**
ciselée
sel et **poivre noir**

Dans un grand saladier, mélangez le romarin, 2 cuillerées à soupe d'huile d'olive, du sel et du poivre. Coupez les courgettes et le poivron rouge en gros morceaux, et ajoutez-les dans le saladier, avec les champignons et les tomates. Remuez, couvrez et laissez mariner 20 minutes.

Rincez le riz sous l'eau froide, égouttez-le et mettez-le dans une casserole. Versez de l'eau légèrement salée sur le riz (5 cm au-dessus du riz), portez à ébullition et maintenez l'ébullition pendant 10 minutes. Égouttez.

Faites chauffer l'huile restante dans une autre casserole et faites-y revenir l'oignon, l'ail et les gousses de cardamome, 5 minutes à feu moyen, en remuant. Ensuite, ajoutez le riz, les canneberges, les pistaches, la coriandre, salez et poivrez. Remuez puis retirez la casserole du feu, couvrez et laissez reposer 10 minutes.

Pendant ce temps, faites chauffer une poêle-gril. Enfilez les légumes marinés sur 8 brochettes en bois préalablement trempées dans l'eau froide pendant 30 minutes. Faites cuire les brochettes 10 minutes, en les retournant souvent. Servez les brochettes avec le riz et du yaourt grec.

Pour une version épicée, faites cuire le riz comme indiqué ci-dessus après avoir ajouté ¼ de cuillerée à café de filaments de safran dans l'eau. Faites cuire 1 oignon haché, 2 gousses d'ail pilées, 1 bâton de cannelle et 6 clous de girofle dans 50 g de beurre pendant 5 minutes. Ajoutez le riz cuit et mélangez. Retirez la casserole du feu, couvrez et laissez reposer 10 minutes.

risotto asiatique

Pour **4 personnes**
Préparation **15 minutes**
Cuisson **25 minutes**

1,2 l de **bouillon
de légumes**
1 c. à s. de **sauce soja**
foncée
2 c. à s. de **mirin**
3 c. à s. d'**huile
de tournesol**
1 c. à s. d'**huile de sésame**
1 botte de petits **oignons
blancs**, hachés
grossièrement
2 gousses d'**ail** hachées
2,5 cm de **gingembre** frais,
pelé et râpé
375 g de **riz arborio**
6 feuilles de citronnier **kaffir**
250 g de champignons
shiitake
15 g de **coriandre** ciselée
+ quelques brins
pour décorer

Versez le bouillon, la sauce soja et le mirin dans une casserole. Portez à frémissement, à feu doux.

Pendant ce temps, faites chauffer 2 cuillerées à soupe d'huile de tournesol et l'huile de sésame dans une autre casserole. Faites-y revenir les oignons, l'ail et le gingembre 1 minute à feu vif. Ajoutez le riz et les feuilles de kaffir, et remuez 1 minute à feu doux, jusqu'à ce que tous les grains soient brillants.

Versez environ 150 ml de bouillon dans le riz et poursuivez la cuisson à feu moyen, en remuant, jusqu'à absorption du bouillon. Continuez d'ajouter le bouillon, petit à petit, et poursuivez la cuisson, sans cesser de remuer, jusqu'à absorption du bouillon (gardez une louche de bouillon pour la fin).

Essuyez les champignons, coupez les pieds terreux et coupez-les en lamelles (gardez-en quelques-uns entiers pour décorer). Faites chauffer l'huile restante et faites-y revenir les champignons, 5 minutes à feu moyen.

Ajoutez la coriandre, les champignons et la dernière louche de bouillon. Faites cuire, en remuant, jusqu'à absorption du bouillon. Décorez de champignons entiers et de brins de coriandre, puis servez.

Pour une version plus classique, supprimez la sauce soja, le mirin et l'huile de sésame, et remplacez les shiitake par des champignons de Paris. Incorporez, en fin de cuisson, 100 g de mascarpone et 4 cuillerées à soupe de parmesan râpé. Laissez reposer 5 minutes avant de servir.

tofu sauté au basilic et au piment

Pour **4 personnes**
Préparation **20 minutes**
Cuisson **6 minutes**

2 c. à s. d'**huile
de tournesol**
350 g de **tofu** ferme
coupé en dés
5 cm de **gingembre** frais
râpé
2 gousses d'**ail** hachées
250 g de **brocoli** détaillé
en bouquets
250 g de **pois mange-tout**
équeutés
150 ml de **bouillon
de légumes**
2 c. à s. de **sauce
aux piments doux**
1 c. à s. de **sauce soja
claire**
1 c. à s. de **sauce soja
foncée**
1 c. à s. de **jus de citron
vert**
2 c. à c. de **sucre roux**
1 poignée de feuilles
de **basilic thaï**

Faites chauffer 1 cuillerée à soupe d'huile de tournesol dans un wok ou dans une poêle à bords hauts. Quand l'huile commence à fumer, faites-y revenir le tofu 2 à 3 minutes jusqu'à ce qu'il soit doré de tous les côtés. Retirez-le de la poêle à l'aide d'une écumoire.

Remettez 1 cuillerée à soupe d'huile dans la poêle puis faites-y revenir le gingembre et l'ail pendant 10 secondes. Ajoutez le brocoli et les pois mange-tout et faites sauter 1 minute.

Remettez le tofu dans la poêle et ajoutez le bouillon, la sauce aux piments doux, les deux sauces soja, le jus de citron et le sucre. Faites cuire 1 minute jusqu'à ce que les légumes soient cuits mais encore légèrement croquants. Ajoutez les feuilles de basilic et remuez. Servez aussitôt, avec du riz ou des nouilles.

Pour une version à la sauce aux huîtres, faites cuire le tofu et les légumes en suivant la recette. Remettez le tofu dans le wok, puis ajoutez 50 ml d'eau et laissez cuire 1 minute. Ajoutez ensuite 75 ml de sauce aux huîtres et faites chauffer 1 minute encore. Remplacez le basilic par de la coriandre ciselée.

cannellonis aux épinards et à la ricotta

Pour **4 personnes**
Préparation **25 minutes**
Cuisson **35 minutes**

500 g d'**épinards**
  en branches surgelés,
  décongelés
300 g de **ricotta**
1 gousse d'**ail** pilée
2 c. à s. de **crème fraîche**
  liquide
1 pincée de **noix
  de muscade** fraîchement
  râpée
16 **cannellonis** à farcir
huile en spray
25 g de **parmesan**
  fraîchement râpé
sel et **poivre noir**

Sauce tomate
500 g de **tomates**
  bien mûres, coupées
  en dés
1 gousse d'**ail** pilée
75 g d'**olives noires**
  dénoyautées, hachées
2 c. à s. de **câpres**
  en saumure, égouttées
1 c. à s. de **persil** ciselé
2 c. à s. d'**huile d'olive**
  vierge extra

Pressez les épinards pour extraire l'eau et versez-les dans un saladier. Ajoutez la ricotta, l'ail, la crème fraîche, la noix de muscade, du sel et du poivre, et remuez jusqu'à obtention d'un mélange homogène.

Faites cuire les cannellonis dans une grande quantité d'eau bouillante pendant 5 minutes. Quand ils sont juste *al dente*, égouttez-les et rincez-les sous l'eau froide. Épongez-les avec du papier absorbant.

Huilez légèrement 4 petits plats à gratin. Entaillez les cannellonis, ouvrez-les et déposez, sur chaque carré de pâte, 2 cuillerées à soupe d'épinards à la ricotta. Enroulez à nouveau les cannellonis et répartissez-les dans les ramequins.

Mélangez ensemble tous les ingrédients de la sauce puis nappez-en les cannellonis. Parsemez de parmesan râpé, couvrez avec du papier d'aluminium et faites cuire 20 minutes dans un four préchauffé à 200 °C. Retirez l'aluminium et poursuivez la cuisson 10 minutes, jusqu'à ce que la sauce bouillonne et que le dessus soit doré. Servez aussitôt.

Pour une variante au potiron, remplacez les épinards par 500 g de potiron pelé, coupé en morceaux et cuit à la vapeur pendant 10 à 12 minutes. Laissez complètement refroidir le potiron avant de poursuivre la recette.

frittata asperges tomates feta

Pour **4 personnes**
Préparation **10 minutes**
 + refroidissement
Cuisson **40 minutes**

3 c. à s. d'**huile d'olive**
 + 1 filet pour huiler le plat
2 **poireaux** émincés
1 gousse d'**ail** pilée
250 g d'**asperges** parées
6 **œufs**
100 g de **feta** coupée
 en dés
4 c. à s. de **parmesan**
 fraîchement râpé
175 g de **tomates cerises**
sel et **poivre noir**

Faites chauffer l'huile dans une poêle. Faites-y cuire les poireaux et l'ail à feu moyen pendant 10 minutes, en remuant. Quand les poireaux sont fondants, retirez la poêle du feu et laissez refroidir.

Faites cuire les asperges dans une grande casserole d'eau légèrement salée pendant 2 minutes. Égouttez-les, rincez-les sous l'eau froide puis épongez-les. Coupez les asperges en tronçons de 5 cm.

Huilez un plat à gratin carré de 20 cm de côté et déposez dans le fond, un carré de papier sulfurisé. Dans un saladier, fouettez les œufs puis incorporez-y les poireaux, les asperges, la feta, la moitié du parmesan, du sel et du poivre. Versez cette préparation dans le plat à gratin et disposez dessus les tomates cerises. Saupoudrez avec le reste de parmesan et faites cuire 25 à 30 minutes dans un four préchauffé à 190 °C.

Laissez reposer 10 minutes dans le plat puis démoulez la frittata sur une planche. Servez avec de la salade verte croquante.

Pour une frittata aux champignons, faites cuire les poireaux et l'ail avec 2 cuillerées à café de thym ciselé. Ajoutez 350 g de champignons de Paris émincés et poursuivez la cuisson 5 minutes. Supprimez les asperges. Dans un saladier, fouettez 6 œufs avec 50 g de parmesan râpé, 2 cuillerées à soupe de persil ciselé, du sel et du poivre. Ajoutez les champignons, puis faites cuire la frittata.

curry de pommes de terre

Pour **4 à 6 personnes**
Préparation **20 minutes**
Cuisson **1 heure**

4 c. à s. d'**huile végétale**
1 **oignon** émincé
2 gousses d'**ail** pilées
2 c. à c. de **gingembre** frais
râpé
2 c. à c. de **coriandre**
en poudre
1 c. à c. de **cumin**
en poudre
½ c. à c. de **curcuma**
en poudre
½ c. à c. de **cannelle**
en poudre
¼ à ½ c. à c. de **piment**
en poudre
4 **tomates** mûres, coupées
en morceaux
300 ml d'**eau**
500 g de **pommes de terre**
coupées en dés
400 g de **pois chiches**
en boîte, égouttés
250 g de **champignons
de Paris** nettoyés
75 g de **noix de cajou**
non salées
2 c. à s. de **coriandre**
ciselée
150 ml de **yaourt nature**
sel et **poivre noir**

Faites chauffer 2 cuillerées à soupe d'huile végétale dans une grande casserole. Faites-y revenir l'oignon, l'ail, le gingembre, les épices, du sel et du poivre, pendant 10 minutes à feu doux, en remuant de temps en temps, jusqu'à ce que l'oignon soit fondant.

Ajoutez les tomates et l'eau, et portez à ébullition. Réduisez le feu, couvrez et laissez frémir 15 minutes. Ajoutez les pommes de terre et les pois chiches, couvrez et poursuivez la cuisson 20 minutes.

Pendant ce temps, faites chauffer le reste d'huile dans une poêle et faites-y revenir les champignons à feu moyen, en remuant souvent, 3 à 4 minutes.

Ajoutez les champignons, les noix de cajou et la coriandre dans le curry, et poursuivez la cuisson 10 minutes. Incorporez le yaourt et chauffez bien le curry sans le faire bouillir. Servez du riz en accompagnement.

Pour une version aubergine-tomates, faites revenir l'oignon, l'ail, le gingembre et les épices comme indiqué ci-dessus, puis ajoutez 400 g de tomates concassées en boîte. Pendant ce temps, faites chauffer 3 cuillerées à soupe d'huile végétale dans une grande poêle, puis faites-y revenir 1 grosse aubergine coupée en dés, 5 à 6 minutes à feu moyen, en remuant souvent. Quand les dés d'aubergine sont dorés, ajoutez-les à la sauce tomate en même temps que les pois chiches, et poursuivez la recette.

tourte à l'oignon et au potiron

Pour **8 personnes**
Préparation **25 minutes**
  + refroidissement
Cuisson **45 à 55 minutes**

50 g de **beurre**
750 g d'**oignons** émincés
2 gousses d'**ail** hachées
1 c. à s. de **sauge** ciselée
1 kg de **potiron** pelé,
  sans les graines, coupé
  en tranches de 5 mm
1 c. à s. d'**huile d'olive**
2 x 350 g de **pâte**
  feuilletée, décongelée
  si elle est surgelée
farine ordinaire pour fariner
  le plan de travail
250 g de **fontina** coupée
  en tranches
1 **œuf** battu
sel et **poivre noir**

Faites fondre le beurre dans une poêle. Faites-y revenir les oignons, l'ail, la sauge, du sel et du poivre à feu moyen, 20 à 25 minutes en remuant. Laissez refroidir.

Badigeonnez le potiron d'huile. Faites chauffer une poêle-gril et faites-y cuire les tranches de potiron, 2 à 3 minutes de chaque côté. Laissez refroidir.

Étalez une pâte feuilletée sur un plan de travail fariné, de manière à obtenir un rectangle. Déposez-le sur la plaque de cuisson. Étalez la moitié de la préparation aux oignons sur l'abaisse, jusqu'à 2,5 cm des bords. Étalez ensuite la moitié du potiron, puis la moitié du fromage. Recommencez avec les oignons, puis avec le potiron et enfin le fromage. Salez et poivrez.

Étalez la deuxième pâte de manière à obtenir un rectangle un peu plus grand que le précédent. Badigeonnez d'œuf battu le pourtour de la première abaisse et déposez le deuxième rectangle de pâte sur la farce. Soudez les bords. Dessinez des stries puis badigeonnez toute la surface d'œuf battu. Piquez le couvercle en plusieurs endroits.

Faites cuire 25 à 30 minutes dans un four préchauffé à 220 °C. Laissez refroidir légèrement, puis servez.

Pour une tourte à la pâte filo, superposez 4 feuilles de pâte filo dans un plat à gratin de 20 x 30 cm, en les badigeonnant de beurre fondu. Alternez ensuite les couches d'ingrédients comme indiqué ci-dessus, puis refermez la tourte avec 4 autres feuilles de pâte filo badigeonnées de beurre. Enfournez pour 30 minutes.

soupes et ragoûts

soupe carottes-lentilles au curry

Pour **4 personnes**
Préparation **15 minutes**
Cuisson **35 minutes**

2 c. à s. d'**huile d'olive**
1 **oignon** haché
1 gousse d'**ail** pilée
500 g de **carottes** coupées
   en morceaux
1 **pomme de terre** coupée
   en morceaux
1 c. à s. de **pâte de curry**
   moyennement forte
150 g de **lentilles rouges**
   lavées
1 l de **bouillon de légumes**
1 c. à s. de **coriandre**
   ciselée
sel et **poivre noir**

Huile au citron vert
4 c. à s. d'**huile d'olive**
   vierge extra
le **jus** et le **zeste** râpé
   de 1 **citron vert**

Faites chauffer l'huile dans une casserole, puis faites-y revenir l'oignon et l'ail, 5 minutes à feu moyen, en remuant. Ajoutez les carottes, la pomme de terre et la pâte de curry, mélangez soigneusement, puis ajoutez les autres ingrédients. Portez à ébullition puis réduisez le feu, couvrez et laissez mijoter 25 minutes à feu doux.

Versez la préparation dans un robot et mixez jusqu'à obtention d'un mélange parfaitement lisse. Reversez la soupe dans la casserole et réchauffez-la.

Pendant ce temps, préparez l'huile au citron vert. Dans un bol, fouettez l'huile d'olive avec le zeste et le jus de citron, jusqu'à obtention d'un mélange homogène.

Répartissez la soupe dans 4 bols, agrémentez d'huile citronnée et servez aussitôt, avec du pain croustillant.

Pour une soupe épicée aux tomates, remplacez la pomme de terre par 400 g de tomates concassées en boîte que vous verserez dans la soupe en même temps que les lentilles.

velouté aux champignons et beurre à la truffe

Pour **6 personnes**
Préparation **15 minutes**
  + réfrigération et trempage
Cuisson **40 minutes**

1 c. à s. de **cèpes** séchés
4 c. à s. d'**eau** bouillante
75 g de **beurre**
2 **oignons** hachés
2 gousses d'**ail** pilées
2 c. à s. de **thym** ciselé
1 kg de **champignons de Paris**, nettoyés et coupés en morceaux
1 l de **bouillon de légumes**
250 ml de **crème fraîche** liquide
sel et **poivre noir**

Beurre à la truffe
150 g de **beurre** en pommade
2 c. à c. de **crème de truffe**

Préparez le beurre à la truffe. Fouettez le beurre et la crème de truffe dans un bol jusqu'à obtention d'une pâte lisse. Façonnez une bûchette et emballez-la dans du film alimentaire puis placez-la au congélateur. Au bout de 30 minutes, coupez la bûchette en tranches.

Pendant ce temps, faites tremper les cèpes dans l'eau bouillante 15 minutes. Égouttez-les, sans jeter l'eau, puis coupez-les en morceaux.

Faites fondre la moitié du beurre dans une casserole, puis faites-y revenir les oignons, l'ail et le thym, 10 minutes à feu doux, en remuant de temps en temps. Ajoutez le reste de beurre, les champignons de Paris et les cèpes, et poursuivez la cuisson 5 minutes à feu moyen, en remuant souvent. Ajoutez le bouillon et l'eau de trempage des cèpes, et portez à ébullition. Réduisez le feu, couvrez et laissez frémir 20 minutes.

Versez la préparation dans un robot et mixez jusqu'à obtention d'un mélange parfaitement lisse. Reversez le tout dans la casserole, ajoutez la crème fraîche, et réchauffez sans faire bouillir. Répartissez le velouté dans 6 bols, déposez les tranches de beurre à la truffe sur la surface et servez.

Pour une version plus « light », supprimez la crème fraîche et le beurre à la truffe. Mixez les champignons, répartissez le velouté dans les bols et versez un mince filet de crème liquide sur la surface. Saupoudrez de thym ciselé et de poivre noir du moulin.

soupe pimentée aux haricots rouges

Pour **3 à 4 personnes**
Préparation **10 minutes**
Cuisson **25 minutes**

2 c. à s. d'**huile d'olive**
1 **oignon** haché
1 gousse d'**ail** pilée
1 c. à c. de **piment**
  en poudre fort
1 c. à c. de **coriandre**
  en poudre
½ c. à c. de **cumin**
  en poudre
400 g de **haricots rouges**
  en boîte, égouttés
400 g de **tomates**
  concassées en boîte
600 ml de **bouillon**
  de légumes
12 **chips de maïs**
50 g de **cheddar** râpé
sel et **poivre noir**
crème aigre pour servir

Faites chauffer l'huile dans une casserole, puis faites-y revenir l'oignon, l'ail, le piment, la coriandre et le cumin, 5 minutes à feu moyen, en remuant souvent. Ajoutez les haricots, les tomates et le bouillon, salez et poivrez. Portez à ébullition puis réduisez le feu, couvrez et laissez frémir 15 minutes.

Versez la préparation dans un robot et mixez jusqu'à obtention d'un mélange lisse. Répartissez la soupe dans des bols résistant au four.

Déposez les chips de maïs sur la soupe et parsemez de cheddar râpé. Faites chauffer 1 à 2 minutes sous le gril d'un four préchauffé, jusqu'à ce que le fromage ait fondu. Servez cette soupe bien chaude, avec un peu de crème aigre.

Pour une version plus légère, remplacez les chips de maïs et le fromage par 3 pitas que vous ouvrirez et que vous ferez griller des deux côtés sous le gril du four. Laissez refroidir légèrement les pitas puis découpez-les en triangles à l'aide des ciseaux de cuisine. Servez-les avec la soupe. Remplacez la crème aigre par une cuillerée de yaourt nature.

soupe au potiron et salsa aux olives

Pour **6 personnes**
Préparation **20 minutes**
Cuisson **40 minutes**

4 c. à s. d'**huile d'olive**
1 gros **oignon** haché
2 gousses d'**ail** pilées
1 c. à s. de **sauge** ciselée
1 kg de **potiron** pelé,
  sans les graines,
  coupé en dés
400 g de **haricots blancs**
  en boîte, égouttés
1 l de **bouillon de légumes**
sel et **poivre noir**

Salsa aux olives
100 g d'**olives noires**
  dénoyautées
3 c. à s. d'**huile d'olive**
  vierge extra
le **zeste** râpé de 1 **citron**
2 c. à s. de **persil** ciselé

Faites chauffer l'huile dans une casserole puis faites-y revenir l'oignon, l'ail et la sauge, 5 minutes à feu doux, en remuant souvent. Ajoutez les dés de potiron et les haricots. Mélangez puis ajoutez le bouillon, salez et poivrez.

Portez à ébullition puis réduisez le feu, couvrez et laissez frémir 30 minutes, jusqu'à ce que le potiron soit moelleux. Versez cette préparation dans un robot et mixez jusqu'à obtention d'un mélange lisse. Reversez la soupe dans la casserole, rectifiez l'assaisonnement et réchauffez-la.

Pendant ce temps, préparez la salsa aux olives. Hachez les olives et mélangez-les avec l'huile, le zeste de citron, le persil, du sel et du poivre.

Servez la soupe dans des bols bien chauds, avec une cuillerée de salsa.

Pour une version rôtie, tournez les dés de potiron dans 1 cuillerée à soupe d'huile d'olive, puis faites-les rôtir 30 minutes dans un four préchauffé à 200 °C. Poursuivez la recette en réduisant le temps de cuisson à 15 minutes.

soupe aux petits pois, pommes de terre et roquette

Pour **4 à 6 personnes**
Préparation **15 minutes**
Cuisson **35 minutes**

3 c. à s. d'**huile d'olive**
vierge extra + 1 filet
pour servir
1 **oignon** haché finement
2 gousses d'**ail** hachées
finement
2 c. à c. de **thym** ciselé
250 g de **pommes de terre**
coupées en morceaux
500 g de **petits pois** frais
écossés ou surgelés
1 l de **bouillon de légumes**
100 g de feuilles
de **roquette** hachées
grossièrement
le **jus** de 1 **citron**
sel et **poivre noir**

Faites chauffer l'huile dans une casserole puis faites-y revenir l'oignon, l'ail et le thym, 5 minutes à feu doux, en remuant souvent. Ajoutez les pommes de terre et poursuivez la cuisson 5 minutes, sans cesser de remuer.

Ajoutez les petits pois, le bouillon de légumes, du sel et du poivre. Portez à ébullition puis réduisez le feu, couvrez et laissez frémir 20 minutes.

Versez la préparation dans un robot, ajoutez la roquette et le jus de citron, et mixez jusqu'à obtention d'un mélange lisse. Reversez la soupe dans la casserole, rectifiez l'assaisonnement et réchauffez-la. Servez ce potage bien chaud, agrémenté d'un filet d'huile d'olive.

Pour une version d'été à la menthe, supprimez les pommes de terre et utilisez des petits pois frais. Ajoutez 2 cuillerées à soupe de menthe ciselée dans la soupe juste avant de la mixer.

bouillon aux légumes d'hiver et à la bière

Pour **6 personnes**
Préparation **20 minutes**
Cuisson **50 à 55 minutes**

4 c. à s. d'**huile d'olive**
1 **oignon** haché
2 gousses d'**ail** pilées
1 c. à s. de **romarin** ciselé
2 **carottes** coupées en dés
250 g de **panais** coupés
  en dés
250 g de **rutabagas** coupés
  en dés
100 g d'**orge perlé**
600 ml de **bière**
1 l de **bouillon de légumes**
2 c. à s. de **persil** ciselé
sel et **poivre noir**

Faites chauffer l'huile dans une grande casserole puis faites-y revenir l'oignon, l'ail, le romarin, les carottes, les panais et les rutabagas, 10 minutes à feu doux, en remuant souvent.

Ajoutez l'orge perlé, la bière, le bouillon de légumes, du sel et du poivre, puis portez à ébullition. Réduisez le feu, couvrez et laissez frémir 40 à 45 minutes, jusqu'à ce que l'orge et les légumes soient moelleux. Ajoutez le persil et rectifiez l'assaisonnement. Servez ce bouillon avec du pain croustillant.

Pour une version veloutée, supprimez la bière et augmentez la quantité de bouillon à 1,5 litre. Mixez les légumes dans un robot jusqu'à obtention d'un mélange lisse puis reversez la soupe dans la casserole et réchauffez-la. Parsemez de persil ciselé et de poivre noir du moulin.

soupe aux patates douces et à la noix de coco

Pour **4 personnes**
Préparation **15 minutes**
Cuisson **30 minutes**

2 c. à s. d'**huile d'olive**
1 **oignon** haché finement
2 gousses d'**ail** pilées
1 c. à c. de **gingembre** frais
  râpé
le **jus** et le **zeste** râpé
  de 1 **citron vert**
1 **piment rouge** épépiné
  et haché
750 g de **patates douces**
  pelées et coupées
  en gros morceaux
600 ml de **bouillon**
  de légumes
400 g de **lait de coco**
  en boîte
150 g de pousses
  d'**épinards**
sel et **poivre noir**

Faites chauffer l'huile dans une casserole puis faites-y revenir l'oignon, l'ail, le gingembre, le zeste de citron et le piment, 5 minutes à feu doux, en remuant souvent. Ajoutez les patates douces et poursuivez la cuisson 5 minutes, en remuant.

Ajoutez le bouillon de légumes, le lait de coco, le jus de citron vert, salez et poivrez. Portez à ébullition puis réduisez le feu, couvrez et laissez frémir 15 minutes, jusqu'à ce que les patates soient moelleuses.

Versez la moitié de la préparation dans un robot et mixez jusqu'à obtention d'un mélange lisse. Reversez cette soupe dans la casserole, ajoutez les pousses d'épinards et faites chauffer jusqu'à ce que les épinards flétrissent. Rectifiez l'assaisonnement et servez aussitôt.

Pour un velouté au potiron et à la coriandre,
remplacez les patates douces par la même quantité de potiron pelé et coupé en morceaux. Faites cuire les légumes 20 minutes puis mixez-les jusqu'à obtention d'un mélange lisse. Remplacez les pousses d'épinards par 2 cuillerées à soupe de coriandre ciselée.

soupe aux pâtes, aux haricots et au basilic

Pour **6 personnes**
Préparation **15 minutes**
Cuisson **35 minutes**

2 c. à s. d'**huile d'olive**
   vierge extra
1 **oignon** haché
3 gousses d'**ail** pilées
1 c. à s. de **romarin** ciselé
2 x 400 g de **tomates**
   concassées en boîte
600 ml de **bouillon**
   de légumes
400 g de **haricots blancs**
   en boîte, égouttés
125 g de **petites pâtes**
sel et **poivre noir**
parmesan râpé pour servir

Huile au basilic
25 g de feuilles de **basilic**
150 ml d'**huile d'olive**
   vierge extra

Faites chauffer l'huile dans une casserole puis faites-y revenir l'oignon, l'ail et le romarin, 5 minutes à feu doux, en remuant régulièrement.

Ajoutez les tomates, le bouillon de légumes, les haricots, du sel et du poivre. Portez à ébullition puis réduisez le feu, couvrez et laissez frémir 20 minutes. Ajoutez les pâtes et poursuivez la cuisson 10 minutes à couvert, jusqu'à ce que les pâtes soient *al dente*.

Pendant ce temps, préparez l'huile au basilic. Plongez les feuilles de basilic dans une casserole d'eau bouillante et maintenez l'ébullition pendant 30 secondes. Égouttez-les, rincez-les sous l'eau froide puis épongez-les avec du papier absorbant. Versez l'huile et les feuilles de basilic ébouillantées dans un robot, et mixez jusqu'à obtention d'un mélange parfaitement lisse.

Répartissez la soupe dans des bols et agrémentez d'un filet d'huile au basilic. Saupoudrez de parmesan râpé et servez aussitôt.

Pour une version épicée à la tomate et aux haricots rouges, remplacez le romarin par du thym, et les haricots blancs par des haricots rouges. Poursuivez la recette en supprimant les pâtes et en ajoutant 2 cuillerées à soupe de sauce pimentée dans la soupe. Servez avec de la crème aigre.

soupe aux nouilles et aux champignons

Pour **4 personnes**
Préparation **10 minutes**
Cuisson **15 minutes**

300 g de **nouilles ramen**
sèches
1,5 l de **bouillon**
de légumes
75 ml de **sauce soja** foncée
3 c. à s. de **mirin**
350 g de **champignons**
mélangés, nettoyés
4 petits **oignons blancs**
émincés
300 g de **tofu** mou, égoutté
et coupé en dés

Faites cuire les nouilles en suivant les instructions du paquet. Égouttez-les, rincez-les sous l'eau froide et réservez-les.

Mélangez le bouillon de légumes, la sauce soja et le mirin dans une casserole, et portez à ébullition. Réduisez le feu et laissez frémir 5 minutes. Ajoutez les champignons et poursuivez la cuisson 5 minutes. Ajoutez les petits oignons et le tofu.

Pendant ce temps, remplissez une bouilloire d'eau et mettez-la à bouillir. Tenez la passoire avec les nouilles au-dessus de l'évier. Arrosez les nouilles d'eau bouillante puis répartissez-les dans 4 bols. Versez la soupe sur les nouilles. Servez aussitôt.

Pour une soupe riche en légumes, remplacez les champignons par 125 g de bouquets de brocoli, 125 g de pois mange-tout et 125 g d'asperges parées et coupées en petits tronçons. Versez les légumes dans le bouillon et laissez mijoter 3 minutes. Poursuivez la recette. Vous trouverez des nouilles ramen dans les épiceries japonaises et dans les boutiques bio.

tagine de légumes au safran

Pour **4 personnes**
Préparation **15 minutes**
Cuisson **50 minutes**

100 ml d'**huile de tournesol**
1 gros **oignon** haché
finement
2 gousses d'**ail** pilées
2 c. à c. de **coriandre**
en poudre
2 c. à c. de **cumin**
en poudre
2 c. à c. de **cannelle**
en poudre
400 g de **pois chiches**
en boîte, égouttés
400 g de **tomates**
concassées en boîte
600 ml de **bouillon**
de légumes
¼ de c. à c. de filaments
de **safran**
1 grosse **aubergine** coupée
en petits morceaux
250 g de **champignons**
de Paris, nettoyés
et coupés en deux
s'ils sont gros
100 g de **figues sèches**
hachées
2 c. à s. de **coriandre**
ciselée
sel et **poivre noir**

Faites chauffer 2 cuillerées à soupe d'huile de tournesol dans une poêle puis faites-y revenir l'oignon, l'ail et les épices, 5 minutes à feu moyen, en remuant souvent. À l'aide d'une écumoire, transvasez ce mélange dans une casserole puis ajoutez les pois chiches, les tomates, le bouillon de légumes et le safran. Salez et poivrez.

Faites chauffer le reste d'huile dans la poêle et faites-y dorer les dés d'aubergine, 5 minutes à feu vif, en remuant souvent. Ajoutez-les au ragoût de légumes et portez le tout à ébullition. Réduisez le feu, couvrez et laissez mijoter 20 minutes.

Ajoutez les champignons et les figues et poursuivez la cuisson en laissant le mélange mijoter, à découvert, 20 minutes de plus. Ajoutez la coriandre et rectifiez l'assaisonnement. Servez avec de la semoule cuite à la vapeur.

Pour une version « hiver », remplacez l'aubergine par 2 carottes en rondelles et 2 pommes de terre coupées en dés. Remplacez aussi les pois chiches par une boîte de lentilles vertes égouttées. Suivez la recette, en remplaçant les figues sèches par 100 g d'abricots secs.

goulache et boulettes à la ciboulette

Pour **4 personnes**
Préparation **30 minutes**
Cuisson **45 minutes**

4 c. à s. d'**huile d'olive**
8 petits **oignons** pelés
2 gousses d'**ail** pilées
1 **carotte** coupée
   en petits morceaux
1 grosse **branche de céleri**
   émincée
500 g de **pommes de terre**
   coupées en dés
1 c. à c. de **carvi**
1 c. à c. de **paprika fumé**
400 g de **tomates**
   concassées en boîte
450 ml de **bouillon**
   de légumes
sel et **poivre noir**

Boulettes à la ciboulette
75 g de **farine à levure**
   incorporée
½ c. à c. de **sel**
50 g de **margarine** végétale
1 c. à s. de **ciboulette**
   ciselée
4 ou 5 c. à s. d'**eau**

Faites chauffer l'huile dans une grande casserole puis faites-y revenir les oignons, l'ail, la carotte, le céleri, les pommes de terre et le carvi, 10 minutes à feu moyen, en remuant. Ajoutez le paprika fumé et poursuivez la cuisson 1 minute, en remuant.

Ajoutez les tomates, le bouillon de légumes, du sel et du poivre. Portez à ébullition puis réduisez le feu, couvrez et laissez mijoter 20 minutes.

Préparez les boulettes. Tamisez la farine et le sel au-dessus d'un saladier. Ajoutez la margarine, la ciboulette et du poivre selon votre goût. Tout en travaillant la pâte rapidement et légèrement, incorporez progressivement l'eau, jusqu'à obtention d'une pâte souple. Divisez la pâte en 8 parts égales puis façonnez 8 boulettes.

Disposez délicatement les boulettes dans le ragoût, en laissant un peu d'espace entre elles. Couvrez et laissez mijoter 15 minutes jusqu'à ce que les boulettes aient doublé de volume.

Pour des boulettes au raifort, suivez les indications ci-dessus, en remplaçant la ciboulette par 2 cuillerées à café de raifort râpé.

ragoût provençal aux légumes

Pour **4 personnes**
Préparation **15 minutes**
Cuisson **55 minutes**

4 c. à s. d'**huile d'olive**
  vierge extra
  + 1 filet pour servir
1 gros **oignon rouge**
  émincé
4 gousses d'**ail** hachées
2 c. à c. de **coriandre**
  en poudre
1 c. à s. de **thym** ciselé
1 bulbe de **fenouil** paré
  et émincé
1 **poivron rouge** épépiné
  et coupé en lanières
500 g de **tomates**
  coupées en dés
300 ml de **bouillon**
  de légumes
125 g d'**olives noires**
  de Nice
2 c. à s. de **persil** ciselé
quelques tranches de **pain**
  croustillant
sel et **poivre noir**

Faites chauffer l'huile dans une grande casserole puis faites-y revenir l'oignon, l'ail, la coriandre et le thym, 5 minutes à feu moyen, en remuant. Ajoutez le fenouil et le poivron rouge, et poursuivez la cuisson 10 minutes, toujours en remuant.

Ajoutez les tomates, le bouillon, du sel et du poivre. Portez à ébullition puis réduisez le feu, couvrez et laissez mijoter 30 minutes. Ajoutez les olives et le persil, et poursuivez la cuisson, 10 minutes à découvert.

Pendant ce temps, faites chauffer une poêle-gril et faites-y griller les tranches de pain, des deux côtés. Arrosez généreusement d'huile d'olive.

Servez ce ragoût bien chaud, avec le pain grillé.

Pour un plat de pâtes, faites cuire 450 g de penne dans une grande quantité d'eau bouillante légèrement salée, 10 à 12 minutes (ou selon les indications du paquet). Quand les pâtes sont cuites *al dente*, égouttez-les et versez-les dans un saladier. Versez le ragoût de légumes sur les pâtes et servez aussitôt.

fenouil au pastis à la casserole

Pour **4 personnes**
Préparation **15 minutes**
Cuisson environ **50 minutes**

2 bulbes de **fenouil** parés
4 c. à s. d'**huile d'olive**
  vierge extra
1 **oignon** haché
2 gousses d'**ail** pilées
2 c. à c. de **romarin** ciselé
100 ml de **pastis**
400 g de **tomates**
  concassées en boîte
¼ de c. à c. de filaments
  de **safran**
2 filaments de **zeste**
  d'orange
2 c. à s. de **feuilles**
  de fenouil ciselées
triangles de **polenta** grillés
  pour servir (voir page 170)
sel et **poivre noir**

Coupez les fenouils dans la longueur, en tranches de 5 mm d'épaisseur. Faites chauffer 2 cuillerées à soupe d'huile d'olive dans une cocotte résistant au four, puis faites-y revenir les tranches de fenouil à feu moyen, 3 à 4 minutes de chaque côté. Procédez en plusieurs fois. Sortez le fenouil de la cocotte à l'aide d'une écumoire.

Faites chauffer le reste d'huile dans la cocotte, puis faites-y revenir l'oignon, l'ail, le romarin, du sel et du poivre, 5 minutes à feu doux, en remuant souvent. Ajoutez le pastis, portez à ébullition et maintenez l'ébullition jusqu'à ce que la préparation ait réduit de moitié. Ajoutez les tomates, le safran et le zeste d'orange, puis remuez. Disposez les tranches de fenouil sur le tout.

Portez de nouveau à ébullition, puis couvrez avec un couvercle hermétique et faites cuire 35 minutes dans un four préchauffé à 180 °C, jusqu'à ce que le fenouil soit fondant. Parsemez de feuilles de fenouil ciselées. Servez ce ragoût bien chaud, dans le plat de cuisson, avec des triangles de polenta grillés.

Pour un plat gratiné, suivez les indications ci-dessus puis disposez les légumes dans un plat à gratin. Mélangez ensuite 125 g de chapelure fraîche avec 4 cuillerées à soupe de parmesan râpé et 2 cuillerées à soupe de persil ciselé. Versez ce mélange sur les légumes et faites cuire 35 minutes au four, sans couvrir.

haricots cuisinés

Pour **4 à 6 personnes**
Préparation **10 minutes**
Cuisson **2 heures**

2 x 400 g de **haricots borlotti** en boîte, égouttés
1 gousse d'**ail** pilée
1 **oignon** émincé
450 ml de **bouillon de légumes**
300 ml de **purée de tomates**
2 c. à s. de **mélasse**
2 c. à s. de **concentré de tomates**
2 c. à s. de **sucre roux**
1 c. à s. de **moutarde de Dijon**
1 c. à s. de **vinaigre de vin rouge**
sel et **poivre noir**

Versez tous les ingrédients dans une cocotte résistant au four. Salez et poivrez légèrement. Couvrez et portez lentement à ébullition.

Faites cuire 1 heure 30 dans un four préchauffé à 160 °C. Retirez le couvercle et poursuivez la cuisson 30 minutes, jusqu'à ce que la sauce devienne sirupeuse. Servez ces haricots avec des toasts chauds, beurrés.

Pour une variante aux pommes de terre en robe des champs, nettoyez 4 pommes de terre (type Désirée) d'environ 250 g chacune, à l'aide d'une petite brosse. Faites-les cuire environ 1 heure dans un four préchauffé à 200 °C. Coupez les pommes de terre en deux dans la longueur. Salez, poivrez et nappez-les de haricots cuisinés. Juste avant de servir, parsemez de cheddar râpé. Les haricots cuisinés sont encore meilleurs lorsqu'ils sont préparés la veille et réchauffés.

salades
et plats
de légumes

salade de tomates à l'avocat et à la pêche

Pour **4 personnes**
Préparation **15 minutes**
  + refroidissement
Cuisson **20 minutes**

600 ml de **vinaigre balsamique**
4 **tomates** allongées (type roma), coupées en tranches
1 **avocat** pelé, dénoyauté et coupé en tranches
250 g de **mozzarella** de bufflonne coupée en tranches
1 **pêche** bien mûre dénoyautée et coupée en dés
50 g d'**olives noires** dénoyautées
1 **piment rouge** épépiné et haché finement
3 c. à s. d'**huile d'olive** vierge extra
  + 1 filet pour servir
le **jus** de 1 **citron vert**
1 c. à s. de **coriandre** ciselée
sel et **poivre noir**

Versez le vinaigre balsamique dans une casserole. Portez à ébullition puis réduisez le feu et laissez frémir 20 minutes, jusqu'à ce qu'il ait réduit considérablement. Quand il vous reste à peu près 150 ml de liquide, retirez la casserole du feu et laissez reposer jusqu'à refroidissement complet.

Disposez les tomates, l'avocat et la mozzarella sur un grand plat. Dans un bol, versez les dés de pêche, les olives, le piment, l'huile d'olive, le jus de citron, la coriandre, du sel et du poivre. Mélangez soigneusement puis versez ce mélange sur la salade tomates-avocat-mozzarella.

Versez un filet d'huile d'olive sur le tout et terminez avec le vinaigre balsamique. Servez.

Pour une salade italienne tricolore, disposez sur un plat, 4 tomates coupées en tranches, 1 avocat émincé, 250 g de mozzarella de bufflonne et quelques feuilles de basilic froissées. Versez sur le tout un filet d'huile d'olive et quelques gouttes de vinaigre de vin blanc. Saupoudrez de sel et de poivre noir du moulin.

salade de poireaux grillés aux noisettes

Pour **4 personnes**
Préparation **10 minutes**
Cuisson **12 à 16 minutes**

500 g de jeunes **poireaux**
1 à 2 c. à s. d'**huile
de noisette**
1 trait de **jus de citron**
40 g de **noisettes** mondées
2 petits **cœurs de laitues**
(sucrine ou romaine)
quelques brins de **menthe**
15 g de copeaux
de **pecorino**
20 **olives noires**
pour décorer

Vinaigrette
4 c. à s. d'**huile de noisette**
2 c. à s. d'**huile d'olive**
vierge extra
2 c. à c. de **vinaigre
de xérès**
sel et **poivre noir**

Badigeonnez les poireaux d'huile de noisette. Faites-les cuire, en plusieurs fois, dans une poêle-gril bien chaude ou sous le gril d'un four préchauffé 6 à 8 minutes, en les tournant souvent. Quand les poireaux sont cuits et dorés, arrosez-les d'un filet de jus de citron, salez et poivrez. Laissez refroidir.

Pendant ce temps, faites chauffer une poêle à fond épais et faites-y dorer les noisettes, 3 à 4 minutes à feu moyen, en remuant. Laissez-les refroidir légèrement puis hachez-les grossièrement. Séparez les feuilles de salade et détachez les feuilles de menthe des tiges.

Disposez les poireaux dans 4 bols ou sur 4 assiettes. Ajoutez quelques feuilles de salade, la menthe et les noisettes. Fouettez ensemble tous les ingrédients de la vinaigrette. Salez, poivrez et versez la vinaigrette sur la salade de poireaux. Parsemez de copeaux de pecorino, décorez avec quelques olives et servez.

Pour une salade d'asperges aux pignons, remplacez les poireaux par la même quantité d'asperges. Badigeonnez-les d'huile d'olive puis faites-les cuire et assaisonnez-les comme indiqué ci-dessus. Faites griller des pignons à la place des noisettes, et remplacez la menthe par des feuilles d'estragon. Pour la vinaigrette, utilisez 4 cuillerées à soupe d'huile d'olive vierge extra, 2 cuillerées à soupe d'huile de pépins de raisins, 2 cuillerées à café de vinaigre à l'estragon et le zeste râpé de 1 citron (après en avoir réservé quelques filaments). Parsemez la salade de copeaux de parmesan et décorez avec le zeste de citron.

salade de pastèque au fenouil et à la feta

Pour **4 personnes**
Préparation **10 minutes**
Cuisson **2 minutes**

350 g de **fèves** fraîches
  écossées ou surgelées
1 gros bulbe de **fenouil**
250 g de chair de **pastèque**
  coupée en dés
125 g de **feta** émiettée
sel et **poivre noir**

Sauce
3 c. à s. d'**huile d'olive**
  vierge extra
1 c. à s. de **jus de citron**
1 c. à c. de **miel** liquide
1 c. à c. de **sirop**
  de grenade

Faites cuire les fèves 2 minutes dans une grande quantité d'eau bouillante légèrement salée. Égouttez-les et rincez-les sous l'eau froide. Épongez les fèves avec du papier absorbant puis ôtez l'enveloppe blanche qui les recouvre. Versez les fèves mondées dans un récipient.

Parez le fenouil. Coupez-le en deux puis détaillez-le en tranches très fines. Ajoutez les lamelles de fenouil aux fèves, avec les dés de pastèque et la feta.

Fouettez ensemble tous les ingrédients de la sauce. Salez et poivrez. Versez cette sauce sur la salade, mélangez soigneusement et servez.

Pour une version à l'orange et au persil, coupez un gros bulbe de fenouil en tranches très minces. Ajoutez ½ bouquet de persil ciselé, 2 cuillerées à soupe de petites câpres égouttées et les segments de 1 orange pelée à vif. Ajoutez ensuite le jus de ¼ citron, 1 cuillerée à soupe de jus d'orange et 1 bonne cuillerée à soupe d'huile d'olive vierge extra. Salez et poivrez.

144

salade de semoule aux épices

Pour **4 personnes**
Préparation **15 minutes**
+ trempage
Cuisson **3 minutes**

200 ml de **bouillon
de légumes**
200 ml de **jus d'orange**
1 c. à c. de **cannelle**
en poudre
½ c. à c. de **coriandre**
en poudre
250 g de **semoule**
75 g de **raisins secs**
2 **tomates** bien mûres,
coupées en morceaux
¼ de **citron confit** haché
(facultatif)
½ bouquet de **persil** haché
grossièrement
½ bouquet de **menthe**
haché grossièrement
1 gousse d'**ail** pilée
4 c. à s. d'**huile d'olive**
vierge extra
sel et **poivre noir**

Dans une casserole, mélangez le bouillon, le jus d'orange, les épices et ½ cuillerée à café de sel. Portez à ébullition. Versez la semoule, retirez la casserole du feu, couvrez et laissez gonfler 10 minutes.

Versez les raisins secs, les tomates, le citron confit, les fines herbes, l'ail et l'huile d'olive dans un grand saladier. Remuez soigneusement. Ajoutez la semoule, salez et poivrez. Servez cette salade chaude ou à température ambiante.

Pour préparer un taboulé, suivez la première étape de la recette, puis incorporez 4 tomates bien mûres coupées en petits morceaux, ½ concombre coupé en dés, 1 petit oignon rouge haché, ½ bouquet de persil et de menthe, hachés grossièrement, 4 cuillerées à soupe d'huile d'olive vierge extra, le jus de 1 citron, du sel et du poivre selon votre goût. Remuez soigneusement et rectifiez l'assaisonnement en ajoutant éventuellement un peu de jus de citron.

salade orientale

Pour **4 à 6 personnes**
Préparation **10 minutes**
  + refroidissement

2 **pains sans levain**
  ou tortillas
1 gros **poivron vert** épépiné
  et coupé en dés
1 **concombre** libanais,
  coupé en dés
250 g de **tomates cerises**
  coupées en deux
½ **oignon rouge** haché
  finement
2 c. à s. de **menthe** ciselée
2 c. à s. de **persil** ciselé
2 c. à s. de **coriandre**
  ciselée
3 c. à s. d'**huile d'olive**
  vierge extra
le **jus** de 1 **citron**
sel et **poivre noir**

Faites griller les pains dans une poêle-gril bien chaude ou sous le gril d'un four préchauffé 2 à 3 minutes. Laissez-les refroidir puis déchiquetez-les.

Mettez le poivron vert, le concombre, les tomates, l'oignon et les fines herbes dans un saladier. Ajoutez l'huile d'olive, le jus de citron, du sel et du poivre, et remuez soigneusement. Ajoutez les morceaux de pain, mélangez à nouveau et servez aussitôt.

Pour une variante aux tomates, coupez 750 g de tomates bien mûres en petits morceaux. Ajoutez 4 tranches de pain de la veille, coupées en petits morceaux, 1 bouquet de feuilles de basilic, 125 g d'olives noires dénoyautées, 75 ml d'huile d'olive vierge extra, 1 cuillerée à soupe de vinaigre balsamique, du sel et du poivre. Mélangez soigneusement.

pommes de terre basilic pignons

Pour **4 à 6 personnes**
Préparation **5 minutes**
 + refroidissement
Cuisson **15 minutes**

1 kg de **pommes de terre**
 nouvelles brossées
4 c. à s. d'**huile d'olive**
 vierge extra
1 ½ c. à s. de **vinaigre**
 de vin blanc
50 g de **pignons de pin**
 grillés
½ bouquet de **basilic**
sel et **poivre noir**

Plongez les pommes de terre dans une grande casserole d'eau légèrement salée. Portez à ébullition et faites-les cuire 12 à 15 minutes. Égouttez-les soigneusement et versez-les dans un grand saladier. Coupez les grosses pommes de terre en deux.

Fouettez ensemble l'huile, le vinaigre, un peu de sel et de poivre. Versez la moitié de cette sauce sur les pommes de terre, remuez et laissez refroidir complètement.

Ajoutez les pignons, le reste de sauce et le basilic, remuez et servez.

Pour une version plus traditionnelle, faites cuire 1 kg de pommes de terre nouvelles comme indiqué ci-dessus. Égouttez-les et laissez-les refroidir. Mélangez ensemble 150 ml de mayonnaise de bonne qualité, 1 bouquet de petits oignons blancs finement hachés, 2 cuillerées à soupe de ciboulette ciselée, un trait de jus de citron, du sel et du poivre. Versez cette sauce sur les pommes de terre et mélangez.

salade d'épinards au gorgonzola

Pour **4 personnes**
Préparation **5 minutes**
  + refroidissement
Cuisson **3 minutes**

1 c. à s. de **miel** liquide
125 g de cerneaux de **noix**
250 g de **haricots verts**
  équeutés
200 g de pousses
  d'**épinards**
150 g de **gorgonzola**
  émietté

Vinaigrette
4 c. à s. d'**huile de noix**
2 c. à s. d'**huile d'olive**
  vierge extra
1 ou 2 c. à s. de **vinaigre
  de xérès**
sel et **poivre noir**

Faites chauffer le miel dans une petite poêle, puis faites-y revenir les cerneaux de noix, 2 à 3 minutes à feu moyen. Quand les cerneaux sont caramélisés, posez-les sur une assiette et laissez-les refroidir.

Pendant ce temps, faites cuire les haricots verts dans une casserole d'eau bouillante légèrement salée, pendant 3 minutes. Égouttez-les, rincez-les sous l'eau froide puis égouttez-les de nouveau. Versez les haricots dans un saladier, avec les pousses d'épinards.

Fouettez ensemble tous les ingrédients de la vinaigrette. Salez et poivrez. Versez la vinaigrette sur la salade et remuez. Répartissez la salade dans 4 coupelles, parsemez de gorgonzola et de noix caramélisées, et servez aussitôt.

Pour une version plus douce, remplacez le gorgonzola, fromage fort et piquant, par du dolcelatte, plus doux et crémeux.

salade grecque au halloumi

Pour **4 personnes**
Préparation **10 minutes**
Cuisson **2 minutes**

4 **tomates** bien mûres,
   coupées en gros
   morceaux
½ **oignon** émincé
1 **concombre** libanais
   coupé en tranches
   épaisses
100 g d'**olives noires**
   kalamata, dénoyautées
1 petite **laitue** croquante
   (type sucrine)
250 g de **halloumi** coupé
   en tranches

Vinaigrette
4 c. à s. d'**huile d'olive**
   vierge extra
1 ½ c. à s. de **vinaigre
   de vin rouge**
1 c. à c. d'**origan** séché
sel et **poivre noir**

Mettez les tomates, l'oignon, le concombre et les olives dans un saladier. Déchiquetez les feuilles de laitue et ajoutez-les dans le saladier. Remuez et présentez la salade sur une grande assiette.

Fouettez ensemble tous les ingrédients de la vinaigrette. Salez et poivrez. Versez-en quelques gouttes sur la salade.

Faites chauffer une poêle à fond épais. Quand la poêle est bien chaude, faites-y griller les tranches de halloumi, 1 minute de chaque côté. Disposez les tranches de fromage sur la salade, arrosez avec le reste de vinaigrette et servez aussitôt.

Pour une salade grecque traditionnelle, remplacez le halloumi par 200 g de feta émiettée.

salade de haricots, figues et noix de pécan

Pour **4 personnes**
Préparation **5 minutes**
  + refroidissement
Cuisson **5 à 6 minutes**

100 g de **noix de pécan**
200 g de **haricots verts**
  équeutés
4 **figues** fraîches bien
  mûres, coupées
  en quartiers
100 g de **roquette**
1 petite poignée de feuilles
  de **menthe**
50 g de **parmesan**
  ou de pecorino

Vinaigrette
3 c. à s. d'**huile de noix**
2 c. à c. de **vinaigre**
  de xérès
1 c. à c. de **vincotto**
sel et **poivre noir**

Faites chauffer une poêle à fond épais et faites-y dorer les noix de pécan, 3 à 4 minutes à feu moyen. Laissez refroidir.

Faites cuire les haricots verts dans une casserole d'eau bouillante légèrement salée, pendant 2 minutes. Égouttez-les, rincez-les sous l'eau froide et épongez-les avec du papier absorbant. Versez les haricots verts dans un saladier, avec les figues, les noix de pécan, la roquette et les feuilles de menthe.

Fouettez ensemble tous les ingrédients de la vinaigrette. Salez et poivrez. Versez la vinaigrette sur la salade et remuez soigneusement. Parsemez de copeaux de parmesan ou de pecorino et servez.

Pour une version « 100 % haricots », mélangez 200 g de haricots verts équeutés et cuits avec 2 x 400 g de mélange de haricots en boîte, 4 petits oignons blancs émincés, 1 gousse d'ail pilée et 4 cuillerées à soupe de fines herbes mélangées. Pour la sauce, utilisez 4 cuillerées à soupe d'huile d'olive vierge extra, le jus de ½ citron, 1 pincée de sucre en poudre, du sel et du poivre. Si vous ne trouvez pas de vincotto, remplacez-le par du vinaigre balsamique.

salade thaïe

Pour **4 personnes**
Préparation **10 minutes**
 + refroidissement
Cuisson **2 minutes**

250 g de **tomates cerises**
  coupées en quatre
1 **concombre** libanais
  émincé
1 **papaye verte**
  ou 1 mangue verte,
  coupée en morceaux
1 gros **piment rouge**
  épépiné et émincé
150 g de **germes de soja**
4 petits **oignons blancs**
  pelés et émincés
1 petite poignée de feuilles
  de **basilic thaï**
1 petite poignée de feuilles
  de **menthe**
1 petite poignée de feuilles
  de **coriandre**
4 c. à s. de **cacahuètes**
  non salées, hachées
  grossièrement

Sauce pimentée
2 c. à s. de **confiture
  de piments** (voir page 44)
2 c. à s. de **sauce soja**
  claire
2 c. à s. de **jus de citron
  vert**
4 c. à c. de **sucre de palme**
  râpé

Préparez d'abord la sauce pimentée. Versez tous les ingrédients de la sauce dans une petite casserole. Faites chauffer à feu doux, en remuant, jusqu'à ce que le sucre soit dissous. Laissez refroidir.

Versez les tomates, le concombre, la papaye (ou la mangue), le piment, les germes de soja, les oignons et les fines herbes dans un saladier. Arrosez de sauce pimentée et remuez. Versez la salade dans un plat de service, parsemez de cacahuètes hachées et servez aussitôt.

Pour une présentation originale, servez cette salade avec de grandes feuilles de laitue. Déposez une cuillerée de légumes sur une feuille, enroulez la feuille et trempez-la dans la sauce pimentée.

légumes rôtis et pesto au persil

Pour **4 personnes**
Préparation **15 minutes**
Cuisson **50 à 60 minutes**

4 petites **pommes de terre** brossées
1 **oignon rouge**
2 **carottes**
2 **panais**
8 gousses d'**ail** non pelées
4 brins de **thym**
2 c. à s. d'**huile d'olive** vierge extra

Pesto au persil
75 g d'**amandes** mondées
1 gros bouquet de **persil** plat ciselé
2 gousses d'**ail** hachées
150 ml d'**huile d'olive** vierge extra
2 c. à s. de **parmesan** râpé
sel et **poivre noir**

Coupez les pommes de terre et l'oignon en quartiers, et les carottes et les panais en morceaux. Versez les légumes dans un grand plat à gratin, en une seule couche. Ajoutez l'ail, les brins de thym, l'huile, du sel et du poivre, et remuez pour bien enduire les légumes. Faites cuire 50 à 60 minutes dans un four préchauffé à 220 °C, jusqu'à ce que les légumes soient dorés et fondants. Remuez une fois au cours de la cuisson.

Pendant ce temps, préparez le pesto au persil. Faites chauffer une poêle à fond épais et faites-y revenir les amandes, 3 à 4 minutes à feu moyen, en remuant. Quand elles sont bien dorées, versez-les dans un bol et laissez-les refroidir.

Versez les amandes dans un mortier ou dans un robot, ajoutez le persil, l'ail, du sel et du poivre. Écrasez les ingrédients avec un pilon ou mixez-les grossièrement. Versez la préparation dans un bol, incorporez l'huile et le parmesan, et rectifiez l'assaisonnement.

Servez les légumes rôtis chauds, avec le pesto.

Pour un plat de pâtes, faites cuire 450 g de pâtes dans une grande quantité d'eau légèrement salée, en suivant les instructions du paquet. Pendant ce temps, préparez le pesto au persil. Quand les pâtes sont *al dente*, égouttez-les, en réservant 4 cuillerées à soupe d'eau de cuisson. Remettez les pâtes dans la casserole, avec les 4 cuillerées d'eau. Ajoutez le pesto, remuez et servez.

pommes de terre nouvelles aux épices

Pour **4 à 6 personnes**
Préparation **15 minutes**
Cuisson **45 minutes**

50 g de **beurre**
1 petit **oignon** haché finement
1 gousse d'**ail** pilée
1 c. à c. de **gingembre** frais râpé
1 c. à c. de **coriandre** en poudre
½ c. à c. de **curcuma** en poudre
½ c. à c. de **cumin** en poudre
1 kg de petites **pommes de terre** fermes, brossées
300 ml de **bouillon de légumes**
2 **tomates** mûres coupées en dés
coriandre ciselée pour décorer
sel et **poivre noir**

Faites fondre le beurre dans une casserole puis faites-y revenir l'oignon, l'ail, le gingembre et les épices, 5 minutes à feu doux, en remuant. Ajoutez les pommes de terre, salez et poivrez. Remuez puis ajoutez le bouillon et les tomates.

Portez à ébullition puis réduisez le feu, couvrez et laissez frémir 20 minutes.

Ôtez le couvercle et laissez mijoter 15 à 20 minutes de plus, jusqu'à ce que la préparation ait réduit et épaissi. Servez cette salade de pommes de terre chaude, parsemée de coriandre.

Pour une version rôtie à l'ail et au romarin, disposez 1 kg de petites pommes de terre brossées dans un plat à gratin, avec 12 gousses d'ail entières, non pelées. Ajoutez 2 cuillerées à soupe de romarin ciselé, 2 cuillerées à soupe d'huile d'olive, du sel et du poivre. Remuez et faites cuire 40 à 45 minutes dans un four préchauffé à 200 °C jusqu'à ce que les pommes de terre soient fondantes.

tempura aux légumes

Pour **4 personnes**
Préparation **20 minutes**
Cuisson **20 minutes**

125 g de bouquets
de **brocoli**
125 g de **poivron rouge**
en lanières
125 g de **potiron**
en tranches
125 g de **haricots verts**
équeutés
125 g de **courgette**
en rondelles
huile végétale pour la friture

Sauce
250 ml de **bouillon
de légumes**
1 c. à s. d'algues **wakame**
(voir page 13)
3 c. à s. de **mirin**
3 c. à s. de **sauce soja**
foncée

Pâte à tempura
1 **jaune d'œuf**
250 ml d'**eau** froide
150 g de **farine** ordinaire

Préparez d'abord la sauce. Versez tous les ingrédients de la sauce dans une casserole et faites chauffer 10 minutes à feu doux, sans faire bouillir. Réservez au chaud.

Pendant ce temps, faites chauffer de l'huile végétale (5 cm) dans un wok ou dans une casserole à fond épais et à bords hauts, jusqu'à ce qu'elle atteigne 180-190 °C (un petit cube de pain doit dorer en 30 secondes).

Fouettez tous les ingrédients de la pâte à tempura. Trempez les légumes dans la pâte puis plongez-les dans la friture pendant 2 à 3 minutes, jusqu'à ce qu'ils soient croustillants et légèrement dorés. Sortez-les de l'huile à l'aide d'une écumoire et égouttez-les sur du papier absorbant. Maintenez les beignets au chaud pendant que vous faites frire les autres légumes.

Servez les beignets bien chauds, avec la sauce.

Pour une sauce différente, mélangez 2 cuillerées à soupe de sauce soja foncée, 4 cuillerées à soupe de vinaigre de riz et 1 cuillerée à soupe de jus de citron. Servez cette sauce avec les beignets de légumes.

patates douces au four

Pour **4 personnes**
Préparation **5 minutes**
Cuisson **45 à 50 minutes**

4 **patates douces** (de 250 g
  chacune), brossées
200 g de **crème aigre**
2 petits **oignons** blancs
  pelés et hachés finement
1 c. à s. de **ciboulette**
  ciselée
50 g de **beurre**
sel et **poivre noir**

Disposez les patates douces dans un plat à gratin et faites-les cuire 45 à 50 minutes dans un four préchauffé à 220 °C, jusqu'à ce qu'elles soient fondantes.

Pendant ce temps, mélangez la crème aigre, les oignons, la ciboulette, du sel et du poivre.

Coupez les patates en deux dans la longueur, glissez du beurre dans chaque patate et nappez le tout de crème à la ciboulette. Servez aussitôt.

Pour une version croustillante, laissez refroidir les patates cuites au four puis coupez-les en quartiers et faites-les frire 4 à 5 minutes dans de l'huile végétale, jusqu'à ce qu'elles soient bien croustillantes. Servez la sauce à la ciboulette à part et trempez-y les bâtonnets de patates.

croissants de potiron aux épices

Pour **4 personnes**
Préparation **15 minutes**
 + refroidissement
Cuisson **15 à 20 minutes**

1 kg de **courge** (potiron
  ou butternut)
1 c. à c. de graines
  de **cumin**
1 c. à c. de graines
  de **coriandre**
2 gousses de **cardamome**
3 c. à s. d'**huile
  de tournesol**
1 c. à c. de **sucre** en poudre
  ou de chutney à la mangue

Pesto à la noix de coco
25 g de feuilles
  de **coriandre**
1 gousse d'**ail** pilée
1 **piment vert** épépiné
  et haché
1 pincée de **sucre**
  en poudre
1 c. à s. de **pistaches**
  hachées grossièrement
6 c. à s. de **crème de coco**
1 c. à s. de **jus de citron
  vert**
sel et **poivre noir**

Coupez le potiron ou le butternut en quartiers d'environ 1 cm d'épaisseur, en éliminant les graines et les parties fibreuses. Disposez les quartiers dans un grand récipient.

Faites chauffer une poêle à fond épais, puis faites-y dorer les épices à feu moyen, en remuant. Laissez refroidir puis réduisez-les en poudre à l'aide d'un moulin ou d'un mortier et d'un pilon. Dans un bol, mélangez les épices broyées avec l'huile et le sucre (ou le chutney) puis versez ce mélange sur les morceaux de potiron. Remuez pour bien les en enduire.

Faites cuire les quartiers de potiron sous le gril d'un four préchauffé, 6 à 8 minutes de chaque côté, jusqu'à ce qu'ils soient dorés et fondants.

Pour le pesto, mixez les feuilles de coriandre, l'ail, le piment, le sucre et les pistaches dans un robot. Salez et poivrez. Ajoutez la crème de coco et le jus de citron, et continuez de mixer. Versez la préparation dans un bol.

Servez les quartiers de potiron chauds, avec le pesto à la noix de coco.

Pour une version aux patates douces, faites cuire 4 patates douces (de 250 g chacune) brossées dans une grande casserole d'eau frémissante 15 minutes. Lorsqu'elles peuvent être manipulées, coupez-les en gros quartiers. Tournez ceux-ci dans un mélange d'épices et d'huile puis faites-les griller environ 6 minutes, en les retournant souvent. Servez les patates chaudes, avec le pesto à la noix de coco.

triangles de polenta grillés

Pour **8 personnes**
Préparation **5 minutes**
  + refroidissement
Cuisson **15 à 20 minutes**

huile en spray
1 l d'**eau**
2 c. à c. de **sel**
175 g de **polenta**
  à cuisson rapide
2 gousses d'**ail** pilées
50 g de **beurre**
50 g de **parmesan**
  fraîchement râpé
  + quelques pincées
  pour servir
huile d'olive
persil frais ciselé
  pour décorer
poivre noir

Huilez légèrement un plat à gratin de 23 x 30 cm.
Dans une casserole à fond épais, portez 1 litre d'eau à
ébullition. Ajoutez le sel puis versez progressivement la
polenta, tout en fouettant. Faites cuire 5 minutes à feu
doux, en remuant avec une cuillère en bois, jusqu'à ce
que les grains aient gonflé et épaissi.

Retirez la casserole du feu et ajoutez l'ail, le beurre, le
parmesan et du poivre, en fouettant, jusqu'à obtention
d'un mélange lisse. Versez la préparation dans le plat
à gratin et laissez-la refroidir.

Retournez la polenta sur une planche puis découpez-
la, d'abord en carrés, puis en triangles. Badigeonnez
les triangles de polenta avec un peu d'huile.

Faites chauffer une poêle-gril et faites-y griller les
triangles de polenta à feu moyen-vif, 2 à 3 minutes de
chaque côté. Parsemez de parmesan râpé et de persil
ciselé, et servez aussitôt.

Pour une version au beurre à la sauge, faites fondre
125 g de beurre dans une petite casserole. Ajoutez
1 cuillerée à soupe de sauge ciselée et 1 pincée de
poivre de Cayenne, et faites cuire 2 à 3 minutes à feu
moyen-vif, en remuant, jusqu'à ce que la sauge soit
croustillante. Réservez au chaud. Suivez la recette ci-
dessus jusqu'à la fin de la première étape, puis retirez
la casserole du feu et incorporez 50 g de parmesan
râpé. Versez la polenta dans des bols et arrosez
avec le beurre à la sauge.

tartes, pizzas et cie

tarte au fromage de chèvre et aux figues

Pour **4 personnes**
Préparation **10 minutes**
Cuisson **20 à 25 minutes**

350 g de **pâte feuilletée**
farine ordinaire
  pour le plan de travail
1 **œuf** battu
3 c. à s. de **tapenade**
  toute prête
3 **figues** fraîches bien mûres
  coupées en quartiers
100 g de **tomates cerises**
  coupées en deux
100 g de **fromage**
  de chèvre crémeux,
  émietté
2 c. à c. de **thym** ciselé
2 c. à s. de **parmesan**
  fraîchement râpé
feuilles de **roquette**
  pour servir (facultatif)

Étalez la pâte sur un plan de travail fariné, de manière à obtenir un rectangle de 20 x 30 cm, sur 2 mm d'épaisseur. Égalisez les bords. Piquez la pâte avec une fourchette par endroits. Faites une incision à 2,5 cm des bords. Transférez la pâte sur une plaque de cuisson. Badigeonnez-la avec un peu d'œuf et faites-la cuire 12 à 15 minutes dans un four préchauffé à 200 °C.

Sortez la pâte du four et enfoncez délicatement le centre pour l'aplatir légèrement. Étalez la tapenade sur la pâte puis répartissez les figues, les tomates, le fromage de chèvre, le thym et le parmesan.

Enfournez la tarte pour 5 à 10 minutes, jusqu'à ce que les bords soient bien dorés et que le fromage soit fondu. Vous pouvez aussi faire dorer le dessus de la tarte sous le gril du four, en veillant toutefois à ce que les bords ne brûlent pas (recouvrez éventuellement le pourtour de papier aluminium). Servez cette tarte bien chaude, avec de la roquette si vous le souhaitez.

Pour une tarte aux légumes grillés, coupez 1 courgette et 1 aubergine en lamelles, épépinez 1 poivron rouge et coupez-le en morceaux, et coupez 1 oignon rouge en minces quartiers. Badigeonnez les légumes d'huile d'olive et faites-les cuire sous le gril d'un four préchauffé, 3 à 4 minutes de chaque côté, jusqu'à ce qu'ils soient fondants. Utilisez ces légumes grillés à la place des figues et des tomates, et poursuivez la recette.

174

tarte aux champignons

Pour **6 personnes**
Préparation **45 minutes**
  + refroidissement
  et réfrigération
Cuisson **50 à 55 minutes**

50 g de **beurre**
6 **échalotes** hachées
  finement
2 gousses d'**ail** pilées
2 c. à c. de **thym** ciselé
350 g de **champignons**
  mélangés (shiitake,
  pleurotes, agarics
  champêtres…), nettoyés
  et coupés en lamelles
300 ml de **crème aigre**
3 **œufs** battus légèrement
25 g de **parmesan**
  fraîchement râpé
sel et **poivre noir**

Pâte

200 g de **farine** ordinaire
  + un peu pour le plan
  de travail
½ c. à c. de **sel**
125 g de **beurre** doux froid,
  coupé en dés
1 **jaune d'œuf**
2 c. à s. d'**eau** froide

Préparez la pâte. Tamisez la farine et le sel au-dessus d'un saladier. Ajoutez le beurre et travaillez le mélange du bout des doigts. Quand la préparation ressemble à de la chapelure, ajoutez le jaune d'œuf et l'eau, puis formez une boule. Emballez-la dans un film alimentaire et placez-la 30 minutes au réfrigérateur.

Abaissez la pâte au rouleau sur un plan de travail fariné. Garnissez-en un moule à tarte cannelé de 25 cm de diamètre. Piquez le fond avec une fourchette et placez le moule au réfrigérateur, pendant 30 minutes. Garnissez ensuite le fond de tarte d'un rond de papier sulfurisé et recouvrez-le de haricots secs. Glissez le moule dans un four préchauffé à 200 °C. Au bout de 15 minutes, retirez le papier sulfurisé et les haricots secs, et poursuivez la cuisson 15 minutes. Laissez refroidir.

Faites fondre le beurre dans une poêle et faites-y revenir les échalotes, l'ail et le thym, 5 minutes à feux doux, en remuant. Augmentez le feu, ajoutez les champignons, salez et poivrez, et faites dorer 4 à 5 minutes, sans cesser de remuer. Laissez refroidir la préparation avant de l'étaler sur la pâte. Fouettez ensemble la crème aigre, les œufs, le parmesan, du sel et du poivre, et versez ce mélange sur la garniture. Enfournez et faites cuire 20 à 25 minutes. Servez cette tarte bien chaude.

Pour une tarte aux épinards et à la feta, remplacez les champignons par 500 g d'épinards surgelés, décongelés et essorés. Ajoutez-y la préparation aux échalotes et étalez cette garniture sur le fond précuit. Versez le mélange à la crème aigre sur la garniture, et parsemez de feta émiettée (125 g).

tarte à la tomate et à la feta

Pour **4 personnes**
Préparation **15 minutes**
Cuisson **20 minutes**

350 g de **pâte feuilletée**
farine ordinaire pour le plan
  de travail
3 c. à s. de **pesto**
  (voir page 86)
250 g de petites **tomates**
  allongées (type roma),
  coupées en deux
100 g de **feta** émiettée
4 c. à s. de **parmesan**
  fraîchement râpé
1 poignée de feuilles
  de **basilic**
sel et **poivre noir**

Abaissez la pâte sur un plan de travail fariné de manière à obtenir un rectangle de 25 x 35 cm. À l'aide d'un couteau pointu, faites une incision à 1 cm des bords. Transférez la pâte sur une plaque de cuisson et étalez le pesto dessus.

Disposez les tomates et la feta sur le pesto puis saupoudrez de parmesan. Salez et poivrez. Enfournez et faites cuire 20 minutes dans un four préchauffé à 220 °C, jusqu'à ce que les bords soient gonflés et dorés. Sortez la tarte du four et parsemez-la de feuilles de basilic.

Pour une version « tartelettes », abaissez la pâte au rouleau de manière à obtenir un rectangle de 25 x 37,5 cm. Coupez le rectangle en deux dans la longueur, puis en trois, de manière à obtenir 6 carrés de 12,5 cm. Répartissez le pesto et la garniture sur les carrés de pâte et faites cuire 15 minutes au four, jusqu'à ce que les bords soient gonflés et bien dorés.

pain irlandais au pavot et au tournesol

Pour **1 petit pain**
Préparation **10 minutes**
Cuisson **40 à 45 minutes**

huile en spray
350 g de **farine complète**
 + un peu pour le plan
 de travail
50 g de **graines
 de tournesol**
2 c. à s. de **graines
 de pavot**
1 c. à c. de **bicarbonate
 de soude**
1 c. à c. de **sel**
1 c. à c. de **sucre** en poudre
300 ml de **babeurre**

Huilez légèrement une plaque de cuisson. Dans un saladier, mélangez la farine, les graines de tournesol, les graines de pavot, le bicarbonate de soude, le sel et le sucre. Faites un puits au centre. Versez le babeurre dans le puits et mélangez jusqu'à obtention d'une pâte lisse.

Posez la pâte sur un plan de travail légèrement fariné et pétrissez-la 5 minutes. Façonnez-la de manière à obtenir une boule légèrement aplatie. Posez la boule sur la plaque de cuisson. Avec un couteau pointu, faites une incision en forme de croix sur le dessus de la boule. Farinez légèrement.

Faites cuire le pain 15 minutes dans un four préchauffé à 230 °C, puis baissez la température à 200 °C et poursuivez la cuisson 25 à 30 minutes. Le pain est cuit lorsqu'il a bien gonflé et qu'il produit un son creux quand on le tapote sur le dessous. Posez le pain sur une grille et laissez-le refroidir complètement.

Pour une version plus traditionnelle, suivez la recette en remplaçant les graines de tournesol par la même quantité de gruau d'avoine. Supprimez les graines de pavot.

pain au maïs et au piment

Pour **8 à 12 personnes**
Préparation **10 minutes**
Cuisson **30 à 40 minutes**

huile en spray
75 g de **farine** ordinaire
1 c. à s. de **levure chimique**
200 g de **farine de maïs**
(mouture moyenne)
1 c. à c. de **sel**
3 **œufs** battus
300 ml de **yaourt nature**
4 c. à s. d'**huile
de tournesol**
200 g de **maïs doux**
en boîte, égoutté
1 gros **piment rouge**
épépiné et haché

Huilez légèrement un moule et garnissez le fond
de papier sulfurisé.

Tamisez la farine et la levure au-dessus d'un saladier.
Ajoutez la farine de maïs et le sel. Faites un puits au
centre. À part, mélangez les œufs avec le yaourt et
l'huile de tournesol. Versez ce mélange dans le puits.
Mélangez en faisant tomber progressivement la farine
dans le liquide, jusqu'à obtention d'une pâte lisse.
Incorporez le maïs et le piment.

Versez la préparation dans le moule et faites cuire 30 à
40 minutes dans un four préchauffé à 200 °C. Laissez
reposer 5 minutes dans le moule. Démoulez sur une
grille et laissez refroidir complètement.

Pour confectionner des petits pains individuels,
huilez légèrement un moule à muffins de 12 alvéoles.
Répartissez la préparation dans les alvéoles, enfournez
et faites cuire 20 à 25 minutes, jusqu'à ce que
les petits pains soient gonflés et dorés.

pain aux herbes et au fromage

Pour **8 personnes**
Préparation **10 minutes**
Cuisson **30 minutes**

huile en spray
500 g de **farine à levure
incorporée** + un peu
pour le plan de travail
½ c. à c. de **sel**
15 g de **beurre** froid,
coupé en dés
50 g de **cheddar** râpé
2 c. à c. de **romarin** ciselé
150 ml de **lait**
150 ml d'**eau**

Huilez légèrement une plaque de cuisson. Tamisez la farine et le sel au-dessus d'un saladier. Ajoutez le beurre et travaillez le mélange du bout des doigts. Quand la préparation ressemble à de la chapelure, ajoutez le cheddar et le romarin. Faites un puits au centre. Versez le lait et l'eau dans le puits. Mélangez jusqu'à obtention d'une pâte souple.

Posez la pâte sur un plan de travail légèrement fariné et pétrissez-la quelques instants. Posez la boule de pâte sur la plaque de cuisson, aplatissez-la légèrement jusqu'à ce qu'elle ait un diamètre de 18 cm. À l'aide d'un couteau pointu, entaillez la surface de manière à délimiter 8 quartiers. Faites cuire environ 30 minutes dans un four préchauffé à 200 °C. Le pain est cuit lorsqu'il a bien gonflé et qu'il produit un son creux quand on le tapote sur le dessous. Posez le pain sur une grille et laissez-le refroidir complètement.

Pour confectionner des petits pains individuels, divisez la pâte en 8 parts égales. Façonnez 8 petites boules que vous aplatirez légèrement. Badigeonnez le dessus de lait et parsemez de cheddar râpé. Faites cuire comme indiqué ci-dessus, pendant 18 à 20 minutes.

gratin d'aubergines
au fromage de chèvre

Pour **6 personnes**
Préparation **10 minutes**
Cuisson **1 heure 10**

huile en spray
2 x 400 g de **tomates concassées** en boîte
2 grosses gousses d'**ail** pilées
4 c. à s. d'**huile d'olive** vierge extra
1 c. à c. de **sucre** en poudre
2 c. à s. de **basilic** ciselé
2 **aubergines**
250 g de **fromage de chèvre** crémeux, coupé en tranches ou émietté
50 g de **parmesan** fraîchement râpé
sel et **poivre noir**

Huilez légèrement un plat à gratin d'une contenance de 1,5 litre. Versez les tomates, l'ail, la moitié de l'huile d'olive, le sucre, le basilic, du sel et du poivre dans une casserole, et portez à ébullition. Réduisez le feu et laissez mijoter 30 minutes jusqu'à ce que le mélange ait réduit et épaissi.

Coupez chaque aubergine dans la longueur, en 6 tranches fines. Salez et poivrez l'huile restante. Badigeonnez les tranches d'aubergines de cette huile. Faites cuire 3 à 4 minutes de chaque côté, sous le gril d'un four préchauffé, jusqu'à ce que les tranches soient bien grillées et fondantes.

Disposez un tiers des tranches d'aubergines dans le fond du plat à gratin, en les faisant se chevaucher légèrement. Répartissez un tiers des tomates sur les aubergines, ainsi qu'un tiers du fromage de chèvre et un tiers du parmesan. Continuez d'alterner les couches, en finissant par le fromage. Faites cuire 30 minutes dans un four préchauffé à 200 °C.

Pour préparer des lasagne, suivez la recette, jusqu'à la fin de la deuxième étape, puis mettez les aubergines et la sauce tomate de côté. Préparez la sauce au fromage (voir page 90). Alternez les couches d'aubergines, de sauce tomate, de sauce au fromage et de feuilles de lasagne fraîches, dans un plat à gratin d'une contenance de 2 litres. Parsemez de parmesan râpé et faites cuire comme indiqué ci-dessus, pendant 35 à 40 minutes.

gratin de pommes de terre et croûte aux pignons

Pour **6 personnes**
Préparation **15 minutes**
Cuisson **1 heure 30**

huile en spray
1 kg de petites **pommes de terre** fermes
noix de muscade
    fraîchement râpée,
    selon votre goût
25 g de **beurre** coupé
    en dés
200 ml de **lait**
200 ml de **crème fraîche**
    épaisse
50 g de **chapelure** fraîche
    (pain complet)
50 g de **pignons de pin**
25 g de **parmesan**
    fraîchement râpé
1 c. à s. de **persil** ciselé
sel et **poivre noir**

Huilez légèrement un plat à gratin d'une contenance de 1 litre. Pelez les pommes de terre puis coupez-les en rondelles très fines. Rangez les lamelles de pommes de terre dans le plat. Parsemez chaque couche de pommes de terre d'un peu de sel, de poivre et de noix de muscade, ainsi que de quelques petites parcelles de beurre.

Dans un saladier, mélangez le lait et la crème fraîche. Versez ce mélange sur les pommes de terre et couvrez le plat avec du papier d'aluminium. Faites cuire 1 heure dans un four préchauffé à 190 °C.

Pendant ce temps, mélangez la chapelure, les pignons, le parmesan et le persil dans un bol.

Retirez la feuille d'aluminium du plat à gratin, répartissez le mélange aux pignons sur les pommes de terre, et poursuivez la cuisson 25 à 30 minutes, jusqu'à ce que le dessus soit doré et croustillant.

Pour une variante au panais, remplacez la moitié des pommes de terre par 500 g de panais coupés en rondelles très fines. Alternez les couches de pommes de terre et de panais dans un plat à gratin d'une contenance de 1 litre préalablement huilé. Poursuivez la recette.

pizza aux quatre fromages

Pour **2 pizzas**
Préparation **20 minutes**
  + repos
Cuisson **20 à 30 minutes**

125 g de **mozzarella**
  coupée en tranches
50 g de **taleggio** ou **fontina**,
  coupé en dés
50 g de **gorgonzola** émietté
4 c. à s. de **parmesan**
  fraîchement râpé

Pâte à pizza
250 g de **farine** blanche
  + un peu pour le plan
  de travail
1 c. à c. de **levure
  lyophilisée** prête
  à l'emploi
1 c. à c. de **sel de mer**
1 pincée de **sucre**
  en poudre
150 ml d'**eau** chaude
1 c. à s. d'**huile d'olive**
  vierge extra
huile en spray

Préparez la pâte. Tamisez la farine au-dessus d'un saladier. Ajoutez la levure, le sel et le sucre. Faites un puits au centre. Versez l'eau chaude et l'huile dans le puits. Mélangez en faisant tomber progressivement la farine dans le liquide, jusqu'à obtention d'une pâte souple.

Huilez légèrement un saladier. Posez la pâte sur un plan de travail fariné et pétrissez-la 10 minutes jusqu'à ce qu'elle soit bien lisse et élastique. Déposez le pâton dans le saladier huilé, couvrez et laissez lever dans un endroit chaud pendant 1 heure. La pâte doit doubler de volume.

Glissez une plaque de cuisson au milieu du four. Préchauffez le four à 230 °C pendant 5 minutes. Pressez le pâton avec le poing pour en extraire l'air, puis partagez-le en deux. Étalez un des pâtons de manière à obtenir un disque de 25 cm de diamètre. Déposez le fond de pâte sur la plaque chaude. Parsemez la pâte de la moitié du fromage. Enfournez et faites cuire 10 à 15 minutes, jusqu'à ce que le dessous soit doré et croustillant. Servez aussitôt. Répétez l'opération avec l'autre pâton.

Pour des pizzas à la tomate, répartissez sur chaque fond de pâte, 125 g de tomates cerises coupées en deux, 125g de mozzarella coupée en tranches, 50 g d'olives noires dénoyautées et quelques feuilles de basilic. Suivez les instructions de cuisson ci-dessus. Pour obtenir de bons résultats, ne cuisez qu'une seule pizza à la fois. Pour 4 personnes, doublez les quantités.

pizza à la courge et à la sauge

Pour **2 pizzas**
Préparation **20 minutes**
  + repos
Cuisson **45 à 55 minutes**

huile en spray
1 **pâte à pizza**
  (voir page 190)
farine blanche pour fariner
  le plan de travail
500 g de **courge butternut**
  pelée
1 **oignon** émincé
2 c. à s. d'**huile d'olive**
  vierge extra
2 gousses d'**ail** hachées
  finement
1 pincée de **piment** séché
1 c. à s. de **sauge** ciselée
250 g de **mozzarella**
  coupée en tranches
4 c. à s. de **parmesan**
  fraîchement râpé
sel et **poivre noir**

Huilez un saladier. Posez la pâte sur un plan de travail fariné, et pétrissez-la 10 minutes jusqu'à ce qu'elle soit bien lisse. Déposez le pâton dans le saladier huilé, couvrez et laissez lever dans un endroit chaud pendant 1 heure. La pâte doit doubler de volume.

Pendant ce temps, coupez la courge en deux. Retirez les graines et les parties fibreuses à l'aide d'une cuillère. Coupez la chair en dés de 2,5 cm. Disposez les dés de courge dans un plat à gratin, ajoutez l'oignon, 1 cuillerée à soupe d'huile d'olive, l'ail, le piment, la sauge, du sel et du poivre. Remuez et faites cuire 25 minutes dans un four préchauffé à 230 °C, jusqu'à ce que la courge soit fondante. Remuez à la mi-cuisson.

Glissez une plaque de cuisson au milieu du four. Préchauffez le four pendant 5 minutes. Pressez le pâton avec le poing pour en extraire l'air, puis partagez-le en deux. Étalez un des pâtons de manière à obtenir un disque de 25 cm de diamètre. Déposez le fond de pâte sur la plaque chaude. Répartissez la moitié de la préparation à la courge et la moitié du fromage sur la pâte. Enfournez et faites cuire 10 à 15 minutes, jusqu'à ce que le dessous soit doré et croustillant. Servez aussitôt. Répétez l'opération avec l'autre pâton.

Pour réaliser une calzone à la courge et à la sauge, étalez toute la pâte de manière à obtenir un disque de 40 cm de diamètre. Répartissez la préparation à la courge sur la moitié du disque, ainsi que le fromage. Humectez le pourtour avec de l'eau. Pliez la pizza en deux et soudez les bords. Faites cuire la pizza 25 à 30 minutes dans un four préchauffé à 230 °C.

pizza aux asperges et au taleggio

Pour **2 pizzas**
Préparation **15 minutes**
+ repos
Cuisson **20 à 30 minutes**

huile en spray
1 portion de **pâte à pizza**
(voir page 190)
farine blanche pour fariner
le plan de travail
5 c. à s. de **purée
de tomates**
1 c. à s. de **pesto rosso**
tout prêt
1 pincée de **sel**
250 g de **taleggio** coupé
en tranches
175 g d'**asperges** minces,
parées
2 c. à s. d'**huile d'olive**
poivre noir

Huilez légèrement un saladier. Posez la pâte sur un plan de travail fariné, et pétrissez-la pendant 10 minutes jusqu'à ce qu'elle soit bien lisse et élastique. Déposez la pâte dans le saladier huilé, couvrez et laissez lever dans un endroit chaud pendant 1 heure. La pâte doit doubler de volume.

Glissez une plaque de cuisson au milieu du four. Préchauffez le four à 230 °C pendant 5 minutes. Pendant ce temps, mélangez ensemble la purée de tomates, le pesto et le sel.

Pressez la pâte avec le poing pour en extraire l'air, puis partagez-le en deux. Étalez un des pâtons de manière à obtenir un disque de 25 cm de diamètre. Déposez le fond de pâte sur la plaque chaude. Étalez la moitié de la préparation à la tomate sur la pâte. Répartissez la moitié des tranches de taleggio et la moitié des asperges sur la sauce. Arrosez de 1 cuillerée à soupe d'huile d'olive. Enfournez et faites cuire 10 à 15 minutes, jusqu'à ce que le dessous soit doré et croustillant. Poivrez et servez aussitôt. Répétez l'opération avec l'autre pâton.

Pour une pizza aux artichauts et à la mozzarella, remplacez le pesto rosso par du pesto verde, et le taleggio par de la mozzarella de bufflonne. Remplacez également les asperges par la même quantité de cœurs d'artichauts conservés dans l'huile, égouttés. Si vous ne trouvez que de grosses asperges, coupez-les en deux dans la longueur avant de les disposer sur la pizza.

pizza au fromage de chèvre

Pour **4 pizzas**
Préparation **10 minutes**
Cuisson **7 à 8 minutes**

4 petits **pains sans levain**
  (de 20 cm de diamètre)
2 c. à s. de **concentré**
  de tomates
300 g de **mozzarella**
  coupée en tranches
6 **tomates** allongées
  (type roma), coupées
  en gros morceaux
4 c. à s. d'**huile d'olive**
1 gousse d'**ail** pilée
1 petite poignée de feuilles
  de **basilic** froissées
100 g de **fromage**
  de chèvre crémeux
sel et **poivre noir**

Disposez les petits pains sur 2 plaques de cuisson et nappez-les de concentré de tomates. Répartissez la mozzarella sur le concentré de tomates et faites cuire 7 à 8 minutes dans un four préchauffé à 200 °C, jusqu'à ce que le dessous soit doré et que le fromage ait fondu.

Pendant ce temps, mélangez les tomates avec l'huile d'olive, l'ail et le basilic. Salez et poivrez généreusement.

Répartissez ce mélange sur les pizzas. Parsemez de fromage de chèvre émietté et servez aussitôt.

Pour une variante aux poivrons marinés, remplacez les tomates fraîches par 4 tomates séchées, conservées dans l'huile, égouttées et hachées grossièrement. Mélangez-les avec 200 g de poivrons marinés, égouttés, et remplacez le basilic par de l'origan ciselé. Après avoir parsemé les pizzas de fromage de chèvre émietté, décorez avec quelques olives noires dénoyautées.

desserts

mousse au chocolat onctueuse

Pour **4 personnes**
Préparation **15 minutes**
  + refroidissement
Cuisson **3 à 4 minutes**

175 g de **chocolat noir**,
  cassé en morceaux
100 ml de **crème fraîche
  épaisse**
3 **œufs**, blancs et jaunes
  séparés
cacao en poudre

Mettez le chocolat et la crème fraîche dans un saladier résistant à la chaleur. Posez le saladier au-dessus d'une casserole d'eau frémissante (le saladier ne doit pas toucher l'eau). Remuez jusqu'à ce que le chocolat ait fondu. Laissez reposer 5 minutes avant d'incorporer les jaunes d'œufs, un à un.

Dans un récipient parfaitement propre, montez les blancs d'œufs en neige ferme puis incorporez-les délicatement au chocolat fondu. Quand la mousse est bien homogène, répartissez-la dans 4 verres ou coupelles et placez 2 heures au réfrigérateur. Saupoudrez de cacao en poudre et servez.

Pour une mousse parfumée à l'orange, suivez la recette, en ajoutant 2 cuillerées à soupe de Grand Marnier au mélange chocolat-crème.

abricots pochés aux pistaches

Pour **4 personnes**
Préparation **10 minutes**
  + refroidissement
  et réfrigération
Cuisson **8 minutes**

125 g de **sucre** en poudre
300 ml d'**eau**
le **zeste** de 1 **citron vert**
2 gousses de **cardamome**
1 gousse de **vanille**
12 **abricots** coupés en deux
  et dénoyautés
1 c. à s. de **jus de citron**
1 c. à s. d'**eau de rose**
25 g de **pistaches** hachées
  finement
glace à la vanille ou yaourt
  grec pour servir (facultatif)

Placez un grand saladier dans le congélateur. Versez le sucre et l'eau dans une grande casserole. Faites chauffer à feu doux jusqu'à ce que le sucre soit dissous. Pendant ce temps, détaillez le zeste de citron en filaments, écrasez les gousses de cardamome et fendez la gousse de vanille en deux. Ajoutez le zeste, la cardamome et la vanille dans la casserole.

Disposez les abricots dans la casserole et laissez mijoter 5 minutes, jusqu'à ce qu'ils soient fondants. Retirez la casserole du feu, ajoutez le jus de citron et l'eau de rose, et reversez le tout dans le saladier glacé. Laissez refroidir.

Répartissez les abricots et le sirop dans 4 coupelles, parsemez de pistaches hachées et servez, avec une boule de glace à la vanille ou une cuillerée de yaourt si vous le souhaitez.

Pour un dessert aux pêches et aux amandes,
suivez la recette jusqu'à la fin de la première étape, en remplaçant le zeste de citron par le zeste de 1 orange, et les gousses de cardamome par ½ bâton de cannelle. Pelez, coupez en deux et dénoyautez 4 grosses pêches. Faites-les pocher dans la sirop puis ajoutez-y 1 cuillerée à soupe de jus d'orange et de l'eau de fleur d'oranger à la place du jus de citron et de l'eau de rose. Quand la préparation est froide, parsemez d'amandes effilées grillées à la place des pistaches.

beignets aux pommes et mûres

Pour **4 personnes**
Préparation **15 minutes**
Cuisson **10 minutes**

2 **œufs**
125 g de **farine** ordinaire
2 c. à s. de **sucre** en poudre
  + 2 c. à s. pour le coulis
150 ml de **lait**
huile de tournesol
  pour la friture
4 **pommes à cuire**,
  coupées en gros quartiers
150 g de **mûres** surgelées
2 c. à s. d'**eau**
sucre glace pour décorer

Prenez un des œufs. Séparez le blanc du jaune. Mettez le blanc dans un saladier, et le jaune dans un autre saladier, avec le deuxième œuf. Ajoutez la farine et 2 cuillerées à soupe de sucre en poudre dans le deuxième saladier. Fouettez le blanc d'œuf en neige souple. Avec le même fouet, fouettez les ingrédients dans le deuxième saladier, en ajoutant progressivement le lait, jusqu'à obtention d'un mélange lisse. Incorporez délicatement le blanc d'œuf battu dans cette dernière préparation.

Versez l'huile dans une casserole à fond épais et à bords hauts (l'huile ne doit pas dépasser un tiers de la hauteur de la casserole). Faites chauffer jusqu'à ce que l'huile atteigne 180-190 °C. Trempez quelques quartiers de pommes dans la pâte de manière à bien les enduire. Plongez un morceau de pomme à la fois dans l'huile, très délicatement. Laissez frire 2 à 3 minutes. Retirez les beignets à l'aide d'une écumoire et posez-les sur du papier absorbant. Répétez l'opération avec les autres quartiers de pommes.

Pendant ce temps, versez les mûres, le reste de sucre et l'eau dans une petite casserole, et faites chauffer 2 à 3 minutes. Disposez les beignets sur les assiettes, arrosez-les de coulis de mûres et saupoudrez de sucre glace.

Pour des beignets aux bananes, remplacez les quartiers de pommes par d'épaisses rondelles de banane. Vous pouvez aussi remplacer les mûres par des myrtilles ou des framboises surgelées.

crumble aux pommes caramélisées

Pour **4 personnes**
Préparation **15 minutes**
Cuisson **25 minutes**

huile en spray
750 g de **pommes à cuire**
75 g de **beurre doux** coupé
  en dés + 1 noisette
  pour graisser
  les ramequins
3 c. à s. de **sucre roux**
6 **clous de girofle** entiers
50 g de **raisins secs**
  blonds
75 ml d'**eau** froide

Crumble
75 g de **flocons d'avoine**
75 g de **farine** ordinaire
50 g de **noisettes**
  en poudre
50 g de **sucre roux**
2 c. à c. de **cannelle**
  en poudre
100 g de **beurre doux**
  coupé en dés

Huilez légèrement 4 ramequins d'une contenance de 300 ml. Pelez les pommes, ôtez le cœur et les pépins, puis coupez-les en tranches épaisses. Mettez-les dans une casserole, avec le beurre, le sucre, les clous de girofle, les raisins secs et l'eau. Couvrez et faites cuire 5 à 6 minutes à feu doux, jusqu'à ce que les pommes commencent à ramollir. Répartissez les pommes dans les ramequins.

Versez les flocons d'avoine, la farine, les noisettes en poudre, le sucre et la cannelle dans un saladier. Remuez jusqu'à obtention d'un mélange homogène. Ajoutez le beurre et travaillez la préparation du bout des doigts jusqu'à obtention d'un mélange grumeleux. Répartissez le crumble sur les pommes et faites cuire 25 minutes dans un four préchauffé à 190 °C, jusqu'à ce que la préparation bouillonne et que le dessus soit doré.

Pour un crumble aux pêches et aux myrtilles,

remplacez les pommes par 450 g de pêches coupées en deux, dénoyautées et coupées en tranches, et 250 g de myrtilles. Faites cuire les fruits avec 25 g de beurre, 2 cuillerées à soupe de sucre en poudre et 2 cuillerées à soupe d'eau froide, jusqu'à ce qu'ils soient fondants. Poursuivez en suivant la recette.

omelette soufflée à la confiture

Pour **4 personnes**
Préparation **10 minutes**
Cuisson **8 à 12 minutes**

6 **œufs**, blancs et jaunes
  séparés
2 c. à c. d'**extrait de vanille**
4 c. à s. de **sucre glace**
40 g de **beurre**
4 c. à s. de **confiture
  de framboises**
100 g de **framboises**
  (décongelées si elles
  sont surgelées)
100 g de **myrtilles**
  (décongelées si elles
  sont surgelées)
crème fraîche liquide
  pour servir

Fouettez les blancs d'œufs en neige souple. Versez les jaunes d'œufs, l'extrait de vanille et 1 cuillerée à soupe de sucre dans un saladier. Fouettez. Incorporez 1 cuillerée de blancs battus dans cette préparation pour l'assouplir, puis ajoutez le reste des blancs et mélangez délicatement à l'aide d'une grande cuillère en métal.

Faites fondre la moitié du beurre dans un poêlon résistant au four de 20 cm de diamètre. Dès que le beurre cesse de mousser, versez la moitié de la préparation aux œufs et faites cuire 3 à 4 minutes à feu moyen, jusqu'à ce que le dessous soit doré. Glissez le poêlon sous le gril d'un four préchauffé, et faites légèrement dorer le dessus de l'omelette. Faites glisser l'omelette sur une assiette et réservez-la au chaud, dans un four modéré. Répétez l'opération.

Étalez la confiture sur les omelettes, parsemez de fruits rouges, puis pliez-les en deux pour enfermer la garniture. Saupoudrez de sucre glace, coupez en deux et servez aussitôt, avec de la crème fraîche.

Pour une variante à la marmelade, remplacez la confiture de framboises par de la marmelade d'orange, et les fruits rouges par des segments d'orange.

208

fruits grillés au sucre de palme

Pour **4 personnes**
Préparation **10 minutes**
Cuisson **6 à 16 minutes**

25 g de **sucre de palme**
le **jus** et le **zeste** râpé
   de 1 **citron vert**
2 c. à s. d'**eau**
½ c. à c. de **grains
   de poivre noir** concassés
500 g de **fruits mélangés**,
   parés (ananas, tranches
   de pêches ou quartiers
   de mangue…)

Pour servir
glace à la cannelle
   ou à la vanille
rondelles de **citron vert**

Versez le sucre, le jus et le zeste de citron vert, l'eau et le poivre dans une petite casserole. Faites chauffer à feu doux jusqu'à ce que le sucre soit dissous. Plongez la base de la casserole dans de l'eau glacée.

Badigeonnez les morceaux de fruits de sirop refroidi et faites-les cuire 6 à 8 minutes de chaque côté sous le gril d'un four préchauffé. Vous pouvez aussi les faire cuire au gril ou au barbecue, 3 à 4 minutes de chaque côté, jusqu'à ce qu'ils soient fondants.

Servez ces fruits grillés avec une boule de glace à la cannelle ou à la vanille et quelques rondelles de citron vert.

Pour réaliser des brochettes de fruits, coupez les fruits en gros morceaux et enfilez-les sur des brochettes en bois que vous aurez fait tremper dans l'eau froide pendant 30 minutes. Badigeonnez les fruits de sirop refroidi, puis faites-les cuire en suivant les instructions ci-dessus.

cheese-cake façon tiramisù

Pour **8 à 12 personnes**
Préparation **20 minutes**
  + réfrigération
Cuisson **50 à 60 minutes**

huile en spray
16 **boudoirs**
4 c. à s. d'**espresso** refroidi
500 g de **fromage** frais
250 g de **mascarpone**
3 **œufs**
125 g de **sucre** en poudre
2 c. à s. de **marsala**
25 g de **chocolat noir**

Huilez légèrement un moule carré de 23 cm de côté et tapissez-le de papier sulfurisé. Disposez les boudoirs dans le fond du moule, côté sucré vers le haut. Badigeonnez les biscuits de café refroidi.

Versez le fromage frais, le mascarpone, les œufs, le sucre et le marsala dans un saladier. Fouettez à l'aide d'un batteur électrique, puis versez ce mélange sur les boudoirs. Lissez la surface. Râpez le chocolat sur le dessus du gâteau.

Faites cuire 50 à 60 minutes dans un four préchauffé à 140 °C, jusqu'à ce que le gâteau soit ferme. Laissez refroidir puis placez 1 heure au réfrigérateur. Démoulez délicatement et coupez le gâteau en morceaux.

Pour une version au chocolat, faites fondre 125 g de chocolat noir cassé en petits morceaux dans un saladier placé au-dessus d'une casserole d'eau frémissante. Ensuite, suivez la recette en incorporant le chocolat fondu dans la préparation au fromage frais, avec 2 cuillerées à soupe de cacao en poudre tamisé.

douceur aux fraises et à la lavande

Pour **4 personnes**
Préparation **10 minutes**

400 g de **fraises**
2 c. à s. de **sucre glace**
 + un peu pour décorer
4 ou 5 **fleurs de lavande**
 + quelques-unes
 pour décorer
400 g de **yaourt grec**
4 petites **meringues**

Réservez 4 petites fraises pour décorer. Équeutez les autres fraises, mettez-les dans un saladier avec le sucre, et écrasez-les à la fourchette. Vous pouvez aussi mixer les fraises et le sucre dans un robot, jusqu'à obtention d'une purée lisse. Détachez les fleurs de lavande des tiges et effritez-en quelques-unes dans la purée de fruits, selon votre goût.

Versez le yaourt dans un saladier. Émiettez les meringues et ajoutez-les au yaourt. Mélangez délicatement. Ajoutez ensuite la purée de fraises et mélangez avec une cuillère jusqu'à obtention de marbrures. Répartissez la préparation dans 4 verres.

Décorez avec 4 petites fraises coupées en deux et avec quelques fleurs de lavande. Saupoudrez de sucre glace et servez aussitôt.

Pour une version à la pêche et à l'eau de rose, pelez, coupez en deux et dénoyautez 3 pêches. Coupez-les en gros morceaux que vous écraserez à la fourchette ou que vous mixerez dans un robot, avec 2 cuillerées à soupe de miel liquide et 2 cuillerées à café d'eau de rose. Poursuivez la recette puis décorez avec des pétales de rose cristallisés. Si vous n'avez pas de plant de lavande dans votre jardin, utilisez quelques fleurs séchées.

sorbet aux fruits rouges

Pour **2 personnes**
Préparation **5 minutes**
 + congélation

250 g de **fruits rouges**
 mélangés, surgelés
75 ml de **sirop de fruits
 rouges**
2 c. à s. de **kirsch**
1 c. à s. de **jus de citron
 vert**

Placez un récipient en plastique peu profond dans le congélateur. Mixez les fruits rouges, le sirop, le kirsch et le jus de citron vert dans un robot, jusqu'à obtention d'une purée lisse. Ne mixez pas trop longuement, sans quoi le mélange deviendrait trop liquide.

Versez la préparation dans le récipient en plastique glacé, et placez au moins 25 minutes au congélateur. Déposez des boules de sorbet dans des coupes et servez.

Pour un sorbet aux framboises, remplacez les fruits rouges mélangés par des framboises surgelées, le sirop de fruits rouges par du sirop de fleurs de sureau, le kirsch par de la crème de cassis, et le jus de citron vert par du jus de citron.

tarte banane-figue

Pour **4 personnes**
Préparation **15 minutes**
Cuisson **15 minutes**

6 grandes feuilles
  de **pâte filo**
50 g de **beurre doux** fondu
4 **bananes** coupées
  en rondelles
6 **figues sèches** coupées
  en morceaux
25 g de **sucre** en poudre
le **zeste** râpé de ½ **citron**
½ c. à c. de **cannelle**
  en poudre
crème fraîche épaisse
  ou yaourt grec pour servir

Coupez les feuilles de pâte filo en deux. Posez une feuille de pâte sur une plaque de cuisson et badigeonnez-la de beurre fondu. Posez une autre feuille sur la première et badigeonnez-la de beurre fondu. Procédez de même avec les autres feuilles.

Disposez les rondelles de bananes et les morceaux de figues sur la pile de feuilles. Dans un bol, mélangez le sucre, le zeste de citron et la cannelle. Saupoudrez ce mélange sur les fruits. Arrosez de beurre fondu, s'il en reste.

Faites cuire 15 minutes dans un four préchauffé à 200 °C, jusqu'à ce que la pâte soit croustillante et que les fruits soient dorés. Servez cette tarte chaude, avec de la crème épaisse ou du yaourt grec.

Pour une tarte aux pommes, préparez les feuilles de pâte filo comme indiqué ci-dessus. Coupez 2 pommes en quartiers. Ôtez le cœur et les pépins. Coupez ensuite chaque quartier en tranches très fines. Rangez les lamelles de pommes sur la pâte filo, en les faisant se chevaucher. Arrosez de beurre fondu (25 g). Dans un bol, mélangez 2 cuillerées à soupe de sucre en poudre et 1 cuillerée à café de cannelle en poudre. Saupoudrez ce mélange sur les pommes. Enfournez et faites cuire 20 minutes.

bananes et sauce caramel

Pour **4 personnes**
Préparation **5 minutes**
Cuisson **5 minutes**

4 **bananes**
125 g de **beurre doux**
cannelle en poudre ou noix
   de muscade fraîchement
   râpée pour décorer
   (facultatif)
glace à la vanille pour servir

Sauce caramel
125 g de **sucre de palme**
125 ml de **crème fraîche**
   épaisse
jus de citron vert,
   selon votre goût

Pelez les bananes et coupez-les en deux dans la longueur, ou en tronçons. Faites fondre le beurre dans une poêle et faites-y revenir les bananes à feu moyen-vif, environ 30 secondes de chaque côté, jusqu'à ce qu'elles soient légèrement dorées. Sortez-les de la poêle à l'aide d'une écumoire, et posez-les sur une assiette chaude.

Versez le sucre et la crème fraîche dans la poêle, et faites chauffer à feu doux jusqu'à ce que le sucre soit dissous. Laissez mijoter doucement pendant 2 à 3 minutes, jusqu'à ce que le mélange épaississe. Ajoutez du jus de citron vert selon votre goût.

Servez les bananes, arrosées de sauce caramel, avec une boule de glace à la vanille. Saupoudrez de cannelle ou de noix de muscade si vous le souhaitez.

Pour une variante à l'ananas, pelez un ananas bien mûr, ôtez les « yeux » puis coupez-le en tranches. Disposez les tranches d'ananas sur une planche à découper et ôtez la partie centrale dure. Faites cuire l'ananas et poursuivez la recette.

clémentines caramélisées

Pour **4 personnes**
Préparation **10 minutes**
 + refroidissement
Cuisson **15 minutes**

250 g de **sucre cristallisé**
250 ml d'**eau froide**
6 c. à s. d'**eau bouillante**
8 **clémentines** pelées
3 **étoiles d'anis** entières
crème fraîche pour servir

Versez le sucre et l'eau froide dans une petite casserole, et faites chauffer à feu doux, sans remuer, jusqu'à ce que le sucre soit complètement dissous. Résistez à la tentation de remuer, sans quoi le sucre durcirait. Si nécessaire, inclinez la casserole pour mélanger. Augmentez le feu et faites bouillir 10 minutes, jusqu'à ce que le sirop soit légèrement doré.

Retirez la casserole du feu. Ajoutez l'eau bouillante (1 cuillerée à soupe à la fois), en vous tenant à une certaine distance pour ne pas recevoir d'éclaboussures. Inclinez la casserole pour mélanger, en faisant chauffer un peu si nécessaire.

Disposez les clémentines dans un récipient résistant à la chaleur, avec l'anis étoilé. Arrosez-les de sirop chaud, puis laissez refroidir 3 à 4 heures. Tournez les clémentines dans le sirop puis disposez-les sur un plat. Servez avec de la crème fraîche.

Pour varier le parfum du sirop, remplacez l'anis étoilé par quelques brins de romarin ou par des feuilles de laurier.

pudding brioché et glace à la vanille

Pour **4 personnes**
Préparation **45 minutes**
  + infusion, refroidissement,
  congélation et trempage
Cuisson **40 minutes**

8 tranches de **brioche**
3 **œufs** battus légèrement
50 g de **sucre** en poudre
250 ml de **lait**
250 ml de **crème fraîche**
  épaisse
½ c. à c. de **quatre-épices**
  en poudre
25 g de **beurre** fondu
1 c. à s. de **cassonade**

Glace
750 ml de **crème fraîche**
  épaisse
1 gousse de **vanille** fendue
5 **jaunes d'œufs**
125 ml de **sirop d'érable**

Préparez la glace. Dans une casserole, faites chauffer la crème fraîche et la gousse de vanille jusqu'au point d'ébullition. Retirez la casserole du feu et laissez infuser 20 minutes. Grattez la gousse pour libérer les petites graines.

Fouettez ensemble les jaunes d'œufs et le sirop d'érable. Versez ce mélange dans la crème et remettez la casserole sur le feu. Faites chauffer doucement, en remuant, jusqu'à ce que le mélange épaississe et nappe le dos d'une cuillère en bois. Veillez à ce que la préparation ne bouille pas. Laissez refroidir. Versez la glace dans un récipient en plastique et placez 5 heures au congélateur, en fouettant le mélange toutes les heures.

Coupez les tranches de brioche en quatre, en diagonale, pour obtenir 4 triangles. Rangez ces triangles dans 4 ramequins d'une contenance de 250 ml, en les faisant se chevaucher. Fouettez les œufs avec le sucre, le lait, la crème fraîche et le quatre-épices. Versez ce mélange sur la brioche en enfonçant les tranches de manière qu'elles soient quasiment immergées. Arrosez de beurre fondu et saupoudrez de cassonade. Laissez tremper 30 minutes.

Posez les ramequins dans un grand plat à gratin. Versez de l'eau bouillante dans le plat, jusqu'à mi-hauteur des ramequins. Faites cuire 30 minutes dans un four préchauffé à 180 °C. Servez avec une boule de glace vanille.

palmiers à l'orange et prunes pochées

Pour **4 personnes**
Préparation **20 minutes**
Cuisson **10 minutes**

1 carré de **pâte feuilletée**
  préétalée (de 25 cm
  de côté)
1 **œuf** battu
3 c. à s. de **sucre roux**
le **zeste** finement râpé
  de ½ **orange**
huile en spray
6 c. à s. de **jus d'orange**
50 g de **sucre** en poudre
400 g de **prunes**
  dénoyautées et coupées
  en quartiers
sucre glace pour décorer
crème fraîche pour servir

Badigeonnez la pâte feuilletée avec un peu d'œuf battu puis parsemez-la de sucre roux et de zeste d'orange. Enroulez le côté droit de la pâte sur lui-même, jusqu'au milieu. Procédez de même avec la moitié gauche.

Badigeonnez le rouleau de pâte d'œuf battu, puis coupez-le en 8 tranches épaisses. Huilez légèrement une plaque de cuisson. Disposez les palmiers à plat sur la plaque et faites-les cuire 10 minutes dans un four préchauffé à 200 °C.

Pendant ce temps, versez le jus d'orange et le sucre dans une casserole. Ajoutez les prunes et faites cuire 5 minutes à feu moyen, en remuant.

Posez 2 palmiers sur chaque assiette, disposez dessus des quartiers de prunes, saupoudrez de sucre glace et servez, avec une cuillerée de crème fraîche.

Vous pouvez remplacer les prunes par de la rhubarbe coupée en tronçons, des reines-claudes dénoyautées et coupées en tranches, ou par des framboises, selon la saison.

salade de fruits rouges

Pour **4 personnes**
Préparation **10 minutes**
  + refroidissement
Cuisson **10 minutes**

3 **oranges**
50 g de **sucre cristallisé**
1 gousse de **vanille** fendue
1 **bâton de cannelle**
  légèrement écrasé
250 g de **fraises**
200 g de **cerises**
125 g de **framboises**
125 g de **myrtilles**

Pressez les oranges au-dessus d'un verre doseur. Complétez avec de l'eau froide de manière à obtenir 300 ml de liquide. Versez ce mélange dans une casserole. Ajoutez le sucre, la gousse de vanille et le bâton de cannelle. Faites chauffer à feu doux, en remuant, jusqu'à ce que le sucre soit dissous. Laissez ensuite frémir 5 minutes, jusqu'à obtention d'un sirop léger.

Retirez la casserole du feu et laissez refroidir complètement. Jetez la gousse de vanille et le bâton de cannelle.

Équeutez les fraises, coupez-les en deux et mettez-les dans un saladier, avec les cerises, les framboises et les myrtilles. Versez le sirop sur les fruits, remuez soigneusement et laissez mariner 30 minutes à température ambiante.

Pour une salade parfumée à l'eau de rose, versez 300 ml d'eau froide dans une casserole, avec 75 g de sucre en poudre et 1 bâton de cannelle légèrement écrasé. Faites chauffer à feu doux, en remuant, jusqu'à ce que le sucre soit dissous. Laissez ensuite frémir 5 minutes. Retirez la casserole du feu et laissez refroidir. Ajoutez les fruits rouges et 1 cuillerée à soupe d'eau de rose.

sabayon aux cerises et à la cannelle

Pour **4 personnes**
Préparation **10 minutes**
Cuisson **12 à 15 minutes**

4 **jaunes d'œufs**
125 g de **sucre** en poudre
150 ml de **xérès très doux**
1 bonne pincée de **cannelle**
425 g de **cerises au sirop**
2 **biscuits amaretti**
émiettés pour décorer

Versez 5 cm d'eau dans une casserole moyenne et portez à ébullition. Posez un grand récipient sur la casserole, en veillant à ce que le fond ne touche pas l'eau. Réduisez le feu de manière que l'eau frémisse. Versez les jaunes d'œufs, le sucre, le xérès et la cannelle dans le récipient. Fouettez 5 à 8 minutes, jusqu'à ce que le mélange épaississe et mousse. Si, lorsque vous soulevez le fouet, le sabayon forme un ruban, c'est qu'il est prêt.

Versez les cerises et une petite partie du sirop dans une petite casserole. Faites chauffer puis répartissez les cerises dans 4 verres.

Versez le sabayon encore chaud sur les cerises et parsemez de miettes d'amaretti. Servez aussitôt.

Pour une version aux abricots et à la vanille,
remplacez le xérès par du marsala et supprimez la cannelle. Ajoutez 2 gouttes d'extrait de vanille et le zeste râpé de ½ citron aux jaunes d'œufs. Remplacez les cerises par des abricots au sirop.

crumble rhubarbe poire amandes

Pour **4 personnes**
Préparation **20 minutes**
Cuisson **35 à 40 minutes**

400 g de **rhubarbe** parée,
  coupée en tranches fines
1 **poire** bien mûre, pelée
  et coupée en tranches
100 g de **sucre** en poudre
125 g de **farine** ordinaire
50 g de **beurre** coupé
  en dés
125 g de **pâte d'amandes**
  râpée grossièrement
amandes effilées
crème anglaise pour servir

Disposez les morceaux de rhubarbe et de poire ainsi que la moitié du sucre, dans un plat à gratin d'une contenance de 1,2 litre.

Versez le reste de sucre dans un robot, avec la farine et le beurre, et travaillez le mélange jusqu'à obtention d'une pâte grumeleuse. Vous pouvez aussi verser les ingrédients dans un saladier, ajouter le beurre et travailler le mélange du bout des doigts. Ajoutez la pâte d'amandes.

Étalez ce mélange sur les fruits et parsemez d'amandes effilées. Faites cuire 35 à 40 minutes dans un four préchauffé à 180 °C. Au bout de 15 à 20 minutes de cuisson, couvrez éventuellement avec une feuille de papier d'aluminium, pour éviter que le dessus ne brûle. Servez ce crumble chaud, avec de la crème anglaise.

Pour un crumble aux prunes et aux pommes, remplacez la rhubarbe par des prunes bien mûres coupées en deux et dénoyautées, et la poire par une grosse pomme à cuire, pelée et coupée en tranches. Le « crumble » (mélange farine-sucre-beurre) se congèle très bien. N'hésitez pas à en faire quelques sachets que vous pourrez décongeler chaque fois que vous en aurez besoin.

mille-feuilles aux fraises

Pour **12 mille-feuilles**
Préparation **10 minutes**
+ refroidissement
Cuisson **3 minutes**

2 c. à s. de **sucre** en poudre
½ c. à c. de **cannelle**
en poudre
9 carrés de **pâte à wontons**
25 g de **beurre doux** fondu
125 g de **mascarpone**
1 ou 2 c. à s. de **sucre
glace** + un peu
pour décorer
1 c. à c. de **jus de citron**
125 g de **fraises** équeutées
et coupées en tranches

Mélangez le sucre et la cannelle. Coupez les carrés de pâte en quatre. Badigeonnez-les de beurre fondu et saupoudrez-les de sucre à la cannelle.

Déposez les carrés sucrés sur une plaque de cuisson et faites chauffer 2 à 3 minutes dans un four préchauffé à 200 °C, jusqu'à ce qu'ils soient dorés et croustillants. Laissez les carrés refroidir sur une grille.

Dans un saladier, fouettez le mascarpone avec le sucre glace et le jus de citron. Étalez un peu de ce mélange sur 12 carrés de pâte. Garnissez avec la moitié des fraises. Posez 12 autres carrés de pâte sur les fraises et répétez l'opération avec le reste de mascarpone et de fraises. Posez enfin un carré de pâte sur le tout et saupoudrez de sucre glace. Vous pouvez, si vous le souhaitez, proposer une coupe de champagne pour accompagner ces délicieux mille-feuilles.

Pour une version aux fruits rouges, remplacez les fraises par un mélange de framboises et de mûres, et le mascarpone par de la crème fraîche.

annexe

table des recettes

salades et plats de légumes

tartes, pizzas et cie

desserts

découvrez toute la collection

MARABOUT
CÔTÉ CUISINE